80字世界史

祝田秀全

大和書房

はじめに　――世界史を80字で語ってみよう

「世界史は暗記科目だから苦手」

「細かな要素がありすぎて、覚えきれない」

「複雑な国際事情がうまく整理できない」


こんな声をいままで、受験生からも、社会人からも聞いてきました。

でも、**世界史は、暗記科目ではありません。**

受験にだけ必要なニッチな知識でもありません。

そもそも**世界史の面白さは、覚えることにではなく、「なぜ」と問い、それを「知る」ことにある**のです。


この本は、世界史のなかでも特に重要な出来事やトピックを時系列・地域ごとにまとめたかたちで構成されています。そして、その流れに沿って、**53の「問い」を用意し、それに答える「解答例」を示しました。**

解答には、**80字以内**という制限を付けました。つまりそれが、この本のタイトルである「80字世界史」の由来です。なぜ、そのような短い言葉で答える形式を選んだかと言えば、それによって、**最も大切なことのみを抽出し、「語りなおす力」**を身につけることで、**世界史のポイントが自然に頭に入るだけでなく、より面白さのキモをおわかりいただける**と考えたからです。

暗記科目としてではなく、**人生に必要な教養として世界史を学び直したい**と考える社会人のかたにとっても、歴史の要諦が最小限の言葉で理解できれば得難い財産となるでしょうし、端的に語る力はアウトプット力を高めてくれます。

さらに、この本を手に取ってくださっている**あなたが受験生なら、難関国立大の二次試験などで、設問に短い文章で答える際の勘どころがつかめる**ことでしょう。80字～100字程度で重要語句を押さえた設問への答えを求める難関校は、これからも増えることはあっても減ることはないでしょう。

一見、問題集や学習クイズのような形式ですが、「問い」と「答え」のあいだには、出題のトピックに関わる重要な知識や流れを、これまた短く、端的に盛り込みました。リズムよく、楽しくサクサク読めるよう、腐心したつもりです。

この時代、そこで、どんなことが起きたのか？　そしてそれは、どんな動きにつながっていったのか？　世界はどのように動いて今、このときに至ったのか？

現代社会は間違いなく、世界史の延長線上にあります。それに気づくことから、今と未来を見通す視点も得られます。

自分の言葉で自分を取り巻く歴史と世界を語りなおす楽しさ、まとめる楽しさ、知る楽しさを、どうぞ味わってみてください。

祝田秀全

80字世界史

【目次】

第2章 アジアではインドに仏教文化が誕生し、中国には統一王朝が出現した

第5章 世界の一体化とともに拡大するヨーロッパ世界

第6章 〝大西洋革命〟が変革していく世界

第7章 欧米列強がアジア進出を本格化させ植民地化する

第8章 植民地・勢力圏をめぐる争いが過熱。ついに第一次世界大戦がはじまる

第9章 20年間のヴェルサイユ体制を経て大規模な第二次世界大戦に突入

第10章 東西冷戦の時代から混迷を深める現代世界へ

第1章

農耕の開始とともに世界各地で古代文明が花開いた

古代文明は地中海を取り巻くように生まれた

パン、食べちゃだめよ、まだ食事の時間じゃないでしょ！　来週遊びに連れて行ってあげないから！　――突然ですが、これは現代の何気ない家庭の風景ではありません。いまから5000年以上も前の、**メソポタミア文明**でのやり取りを想像したものです。人類初の**農耕**は、この地（現イラク）の**ムギ栽培**。これを使ってのパンづくりや、**1週7日・1時間60分**の決め事も、メソポタミア文明からはじまります。文字は**楔形**（くさびがた）**文字**。近隣のエジプト文明でも文字がつくられ、歴史の記録がはじまるときとなりました。

◎ギリシアとペルシアの衝突が東西交流の道を開く

エジプトの目の前は地中海。この大海原をバイパスに、今度は**ギリシア文化圏**が出現します。

紀元前8世紀、ギリシア人は地中海を中心に**植民市**を建設。イタリアのナポリ、フランスのマルセイユ、トルコのイスタンブルも、そうです。

一方、オリエント（東方世界）からは、ペルシアが地中海に勢力を傾けてきます。

紀元前5世紀、東西文明の全面衝突といわれた**ペルシア戦争**（紀元前500～前449年）が起こります。ギリシアVSペルシアの対決は、紀元前4世紀後半、マケドニアの英雄**アレクサンドロス大王**に率いられたギリシア側に凱歌（がいか）があがりました。

アレクサンドロスの大帝国誕生の瞬間です。東地中海・メソポタミアからインダス

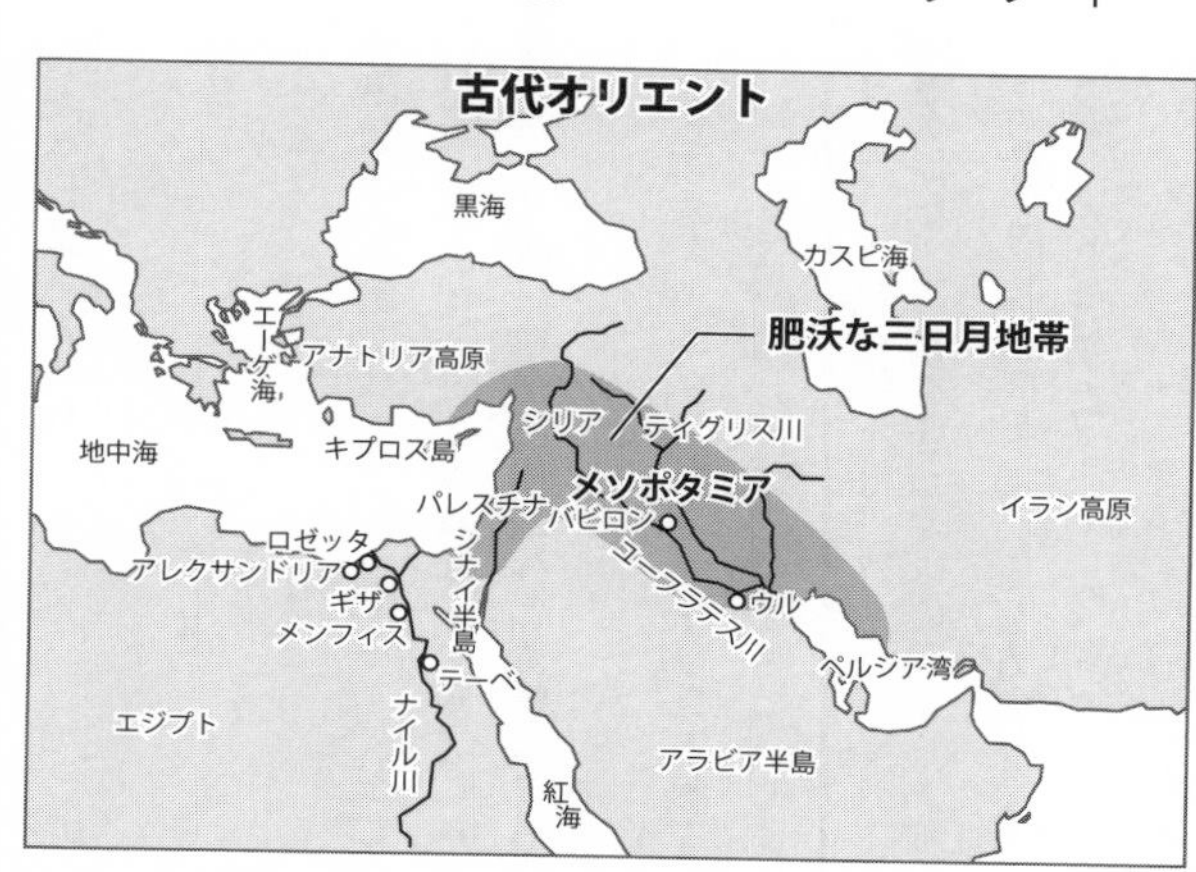

川まで。世界は、ギリシア文化をテイストとした**ヘレニズム時代**（紀元前３３０〜前３０年）を見ました。

◎ローマの拡大で地中海は内海に

そのさなかのことです。イタリア半島の都市国家**ローマ**が、**ポエニ戦争**（紀元前２６４〜前１４６年）で**カルタゴ**を滅ぼしました。すると間髪を容れずに、東方のヘレニズム諸国ものみ込んでいきます。この瞬間ローマは、地中海帝国へと変貌しました。紀元前２７年、時代は**帝政ローマ**へ。

ローマ支配下のパレスチナでは、１世紀、ヘブライ人（ユダヤ人）が**キリスト教**を立ち上げます。とはいっても、老舗・大看板のユダヤ教の地元では、勝ち目はありません。教団運営は困難。そこで生き残りをかけてとった手法が、民族の殻を打ち破って、ローマ帝国全土を相手にする**世界宗教**の道でした。これをきっかけに、キリスト教とローマ帝国は、次代の世界史をつなぐ大きなポジションを築くことになるのです。

では、古代文明が花開いたこの時代を、重要ポイントとキーワード、Q＆Aで見ていきましょう。

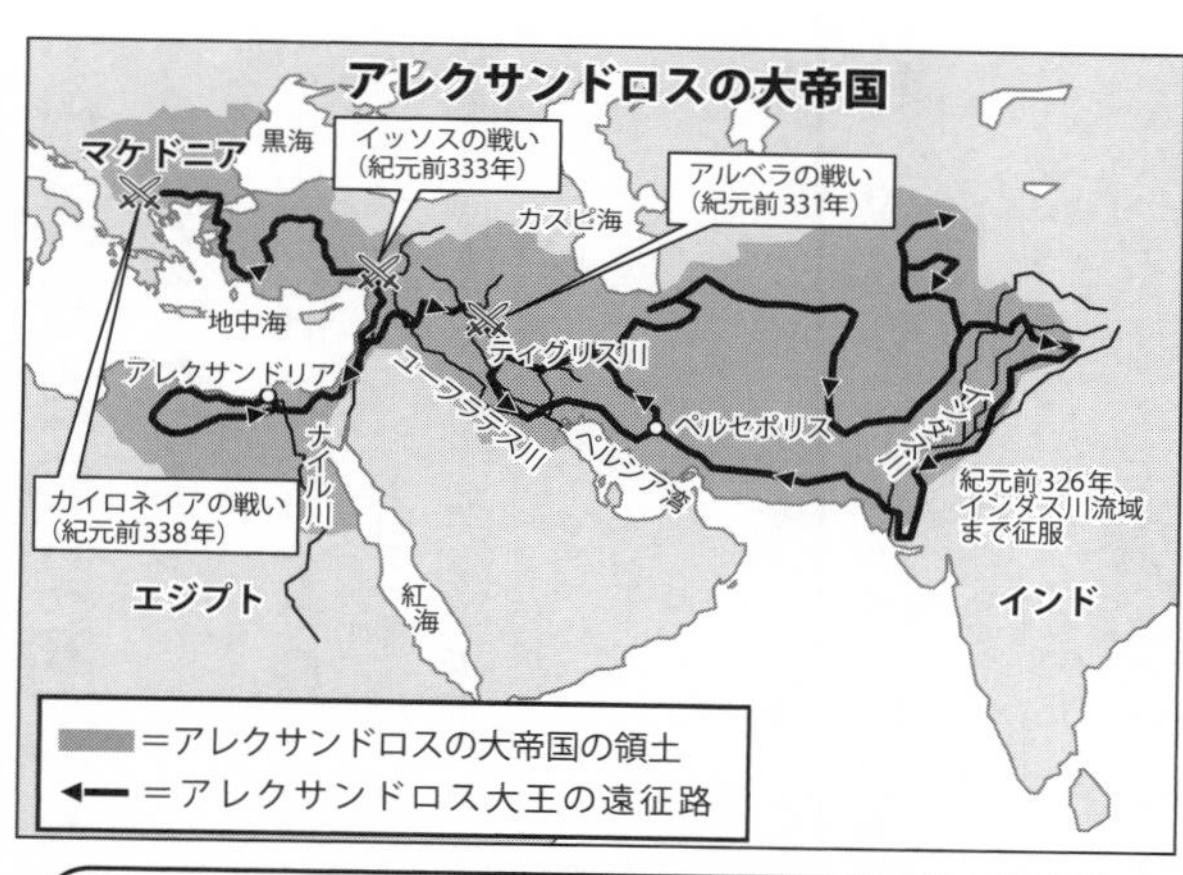
アレクサンドロスの大帝国
マケドニア
黒海
イッソスの戦い（紀元前333年）
アルベラの戦い（紀元前331年）
カスピ海
地中海
ティグリス川
アレクサンドリア
ユーフラテス川
ペルセポリス
インダス川
ナイル川
ペルシア湾
紀元前326年、インダス川流域まで征服
カイロネイアの戦い（紀元前338年）
エジプト
紅海
インド
＝アレクサンドロスの大帝国の領土
＝アレクサンドロス大王の遠征路

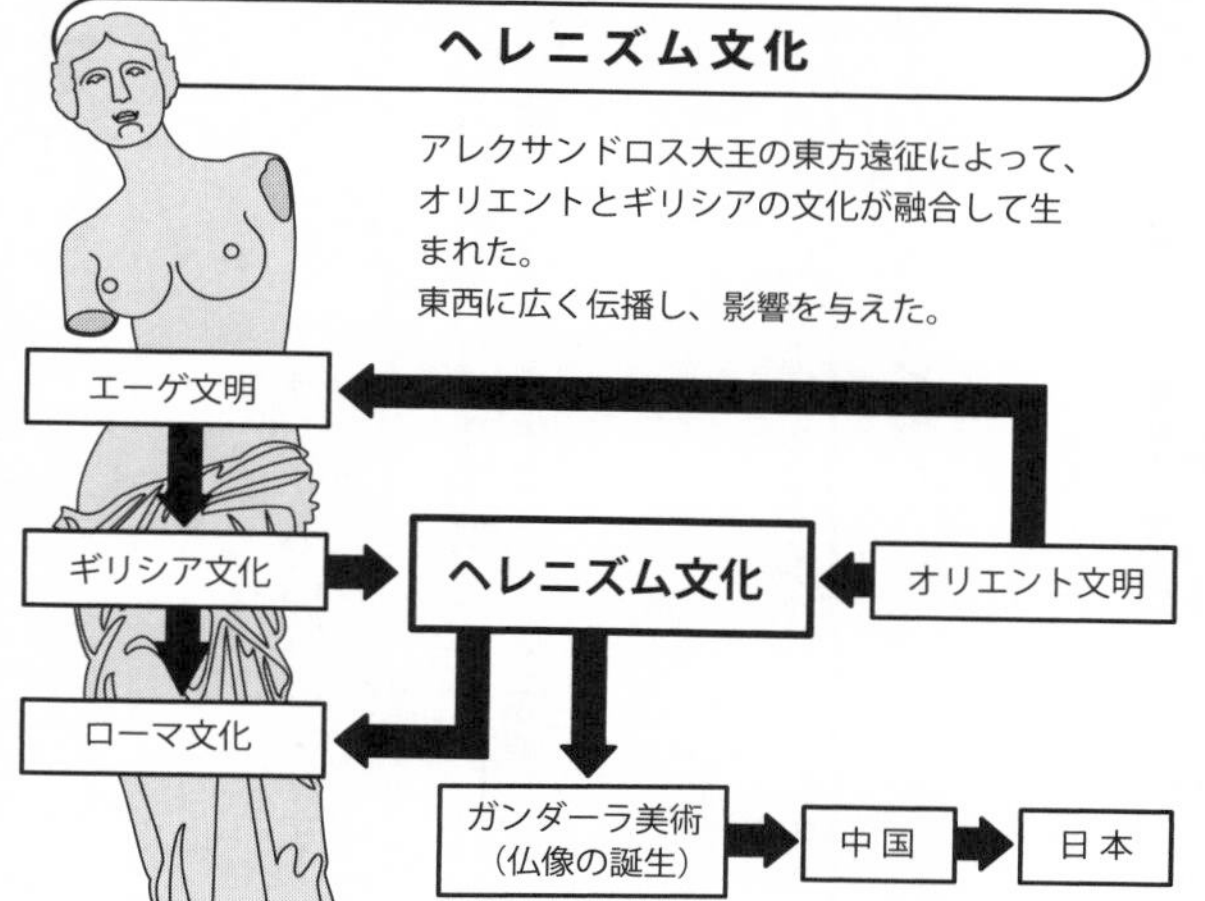
ヘレニズム文化
アレクサンドロス大王の東方遠征によって、オリエントとギリシアの文化が融合して生まれた。
東西に広く伝播し、影響を与えた。
エーゲ文明
ギリシア文化
ヘレニズム文化
オリエント文明
ローマ文化
ガンダーラ美術（仏像の誕生）
中国
日本

世界最古の文明が生まれたメソポタミア

いまから９０００年前、西アジアで農耕がはじまりました。イラクから西隣のシリア、パレスチナ地方に連なるこの地域を線で結ぶと三日月の形になります。この農耕ゾーンは、「**肥沃（ひよく）な三日月地帯**」とよばれます。そして紀元前３０００年頃、この三日月地帯の東半部に、人類史上最古の**メソポタミア文明**が誕生したのです。

紀元前３０００年頃、メソポタミア地方に形成された都市文明とその独自の暦法、時間の決め事、記録手段について具体的に説明しなさい。

◎メソポタミア文明は、ティグリス川とユーフラテス川の流域に誕生しました。そのバックボーンとなったのは、やはりこの地ではじまった**農耕・牧畜**。ムギが栽培さ

◉メソポタミア文明　ヒントとポイント

人類最古の文明は世界史の人気テーマ

れ、ヤギ・ヒツジが家畜とされました（北イラクのジャルモ遺跡発掘・1948年）。日干しレンガを使った住居も建てられています。

◎農耕によって、ヒトは定住生活が可能になりました。このため農耕は、住居建築と深い関係を持つようになります。食料を求めて、あっちこっちとさ迷い歩くこともなくなったからです。

◎メソポタミアでは、**河川の氾濫**が起こります。それによって栄養分に富んだ土が上流から運ばれ、土壌は農耕で失われた生産力を取り戻し、肥沃な農地、つまり沃土（よくど）となるのです。氾濫が、土壌に肥料を施す役目を果たしたのです。

◎農耕という生産経済は、都市文明をひき出しました。人々は社会平和や豊作を祈りました。**ジッグラト**（**聖塔**）とよばれる神殿が中心となって、都市民の心情をまとめ上げました。

◎メソポタミア文明の暦法（カレンダー）は**太陰暦**。人々は夜空に浮かぶ月の満ち欠けは約30日かかること、それを12回くり返すと、季節が元に戻ることを知ったのです。**1週7日制**もメソポタミア文明のたまものです。記録手段としては、**楔形文字**がつくられ、ヒトの行動や考えが粘土板に記録されることになりました。時間や計算には**六十進法**がとられました。

Keyword **メソポタミア文明の暦法、時間単位、記録手段**

月の満ち欠けを基に1年12カ月の太陰暦と1週7日制が考案され、時間計算は約数が多く分割に便利な六十進法が用いられた。記録は楔形文字を粘土板に記す方法がとられた。（79字）

知っておきたいWord

肥沃な三日月地帯

◉20世紀アメリカの考古学者ヘンリー・ブレステッドが使った言葉。イラクからシリア、レバノン、イスラエルにまたがる地域で農耕は起こりました。ここのエリアの北側は、山また山。南側は砂の海が広がる砂漠地帯。三日月地帯が文明圏となりました。

太陰太陽暦

◉エジプト文明は1年365日の**太陽暦**でした。メソポタミア文明は1年354日の太陰暦。暦と季節にズレが生じてきます。このため実態としては、3年に一度、閏月(うるうづき)をつくり、その年に限って1年を13カ月としました。これを**太陰太陽暦**といいます。

六十進法

◉60という数字は、10と12の最小公倍数。それになんといっても、約数(1、2、3、4、5、6、10、12、15、20、30、60)が多いことから、時間の計算や方角の区分に用いられました。割り算には大変便利です。

02 ナイル川の氾濫がもたらしたエジプト文明

肥沃な三日月地帯にはじまる農耕は、紀元前４０００年頃、アフリカ北東を流れるナイル川流域にも伝わります。いまのエジプトです。この川の上流は毎年夏になると、雨で増水し、水が引いたあとに沃土がもたらされます。豊かな土地で農業が行なわれたことから、**エジプト文明**は発展しました。農耕社会を背景に「**エジプトはナイルのたまもの**」という文明の繁栄を見ることになったのです。

古代エジプト王国は、紀元前３０００年頃に統一された。統一の過程と支配者として君臨した国王の特徴について、具体的に説明しなさい。

◎農耕はヒトの集団化を促しました。川から水を引いて、ため池をつくったり、運河・

◎エジプト文明　ヒントとポイント

「ナイルのたまもの」はヘロドトスの言葉

水路もつくったりしなければなりません。個人や一家族で、到底できることではありません。ヒトは農耕のために共同社会をつくりました。その結果、多数の**小国家**（**ノモス**）が成立しました。ノモスは元々、ギリシア語ですが、ヒエログリフの「用水路」に由来します。

◎ナイル川上流のほうは河谷（かこく）の地形で上（かみ）エジプト、下流はデルタ地帯が広がり、下（しも）エジプトとよばれました。その後ナイル川流域は、ふたつの王権の下にまとめられます。そして紀元前3000年頃、上・下両エジプトの42のノモスがひとつにまとまって、エジプト王国となりました。当初の都は上・下エジプトの境界のメンフィス。

◎王は**ファラオ**とよばれました。王位に就く者は万世一系ではなく、家系（王朝）は交替をくり返しました。ユニークなのは、王は太陽神ラーの子とされたことです。「**神の子**」というふうに解釈できます。

◎これに比べて、メソポタミア地方を中心に君臨したバビロン第1王朝（古バビロニア王国・紀元前19世紀〜前16世紀）は、王は「**神の代理人**」として政治を司りました。〝目には目を〟で有名な「**ハンムラビ法典**」を刻んだ石碑には、メソポタミアの神・シャマシュから法典を授かるレリーフがあります。同じオリエント（東方世界）文明圏のなかにあっても、微妙にというか、大変というか、王の位置づけが違うのです。

Keyword **農耕は人々の集団化を促進、小国家の統一、神の子**

農耕のため、人々は多数の小国家ごとにまとまった。その統一者は王となってファラオとよばれた。王は太陽神ラーの子とされ、ピラミッドを建てて、絶大な権力を誇示した。（79字）

知っておきたいWord

ロゼッタ・ストーン

◉古代エジプト文字が刻まれた石碑。象形文字の**ヒエログリフ**（**神聖文字**）、それを簡略にした**デモティック**（**民用文字**）、**ギリシア文字**の3種が刻まれています。18世紀末、エジプトに遠征したナポレオン軍がナイル川河口に砦を建てている最中に発見。解読に成功したのはシャンポリオンです。

「死者の書」

◉エジプト人は死後の世界、つまり来世信仰を持っていました。このため死者の行状を**パピルス**に書いて棺に納めます。死者が審判され、冥界で安らぎを得るためです。ミイラをつくるのは、こうした来世の存在が信じられたからです。ちなみにパピルスは英語の紙paperの語源。

ピラミッド

◉エジプト王は絶大な権力を持っていました。その証がピラミッドの建設。カイロに近いギザにクフ、カフラー、メンカウラーの3大王墓があります。最大は高さ約147メートルといわれるクフ王のものです。

03 ポリスが母体となったギリシア文明

エジプトが統一された紀元前3000年頃、いまのギリシア・トルコ沿岸に海洋文化の**エーゲ文明**が開けました。エーゲ海をバイパスにして貿易が盛んに行なわれたようです。この文明が終わると、ギリシアでは、ポリスとよばれる都市国家が興ります。ポリスは市民の共同社会です！　それだけに市民が社会に参加するという意識は強く、民主政治を促し、文化面でも人間中心の価値観が築かれました。

古代アテネの民主政治は、平民たちの参政権獲得から進展した。それをもたらした事情について、具体的に説明しなさい。

◎**ポリス**は市民の共同社会で、紀元前8世紀ころに出来上がった独立都市国家です。人

◎ギリシア文明　ヒントとポイント

戦争と軍事体制が民主政治をもたらした

口は数千人から1万人規模。ここでいう**市民**とは、**クレーロス**（**私有地**）を持つ自由民を指します。

◎人口が増えてクレーロスが足りなくなると、ギリシア人は海外植民市の建設にのり出しました。ビザンティオン（現イスタンブル）、ネアポリス（現ナポリ）、マッサリア（現マルセイユ）などは、その典型。地中海にギリシア人が広がったのです。

◎一方、ギリシア本土では**アテネ**が商業と貿易で繁栄を誇ります。貴族はお金を扱う仕事を不浄としたため、平民が商人として力を得ました。アテネは土質の関係で小麦は輸入に頼りましたが、その代わりにワイン・オリーヴ油・陶器を輸出して繁栄しました。

◎こうした経済状況下で、商人のなかから富裕な平民たちが生まれました。彼らは有事の際、槍（やり）・甲冑（かっちゅう）・盾などの鉄製武具を調達して**重装歩兵市民軍**を編成しました。**ペルシア戦争**（紀元前５００～前４４９年）が起こると、マラトンの戦い（紀元前

490年）に勝利。**サラミスの海戦**（紀元前480年）では、**無産市民**たちが軍船の漕ぎ手となって活躍しました。平民がアテネに勝利をもたらしたのです。

◎ギリシア文化は人間的で、合理性に富んでいます。ポリス中央の**アクロポリスの丘**には神殿が建てられましたが、神の彫像は擬人化（ぎじんか）され、神殿は市民共同社会の要となるものでした。教義・経典（きょうてん）もなく、特権を持つ神官さえもいませんでした。

Keyword **富裕平民の台頭、重装歩兵市民軍、民主政治の発達**

富裕平民は重装歩兵としてアテネ市民軍を編成した。ペルシア戦争が起こると、無産市民もサラミスの海戦で軍船の漕ぎ手として活躍。こうして成年男性に参政権が認められた。（80字）

知っておきたいWord

パルテノン神殿

◉ペルシア戦争後の紀元前5世紀後半、アテネではペリクレスが将軍に就任し、カリスマ的支配は内外に響き渡りました。彼はペルシアに対抗するギリシア諸ポリスの公金を流用しアテネにパルテノン神殿を建てました。

スパルタ

◉スパルタはアテネと対照的なポリスでした。市民同士は絶対平等で、貿易・貨幣経済は戒められました。貨幣は社会の平等を崩すもとになるからです。クレーロスを耕すのは奴隷。国からあてがわれます。奴隷の私有は認められず、商工業にも市民は手を出しません。男性は優秀な軍人となるために生き、女性は良き母になるための健康美が求められました。

オリンピアの祭典

◉エリスという小さなポリスでは、4年に一度オリンピアの祭典が開かれました。アスリートたちがオリンポス12神の主神ゼウスに競技会を納めるのです。競合しながらも、ギリシア人の一体感を確かめ合う場でした。

04 史上初の大帝国を築いたアレクサンドロス大王

ペルシア戦争後、ギリシアは覇権をめぐってポリス同士が戦争を重ねる時代に入ります。はじまりは、アテネとスパルタが衝突した**ペロポネソス戦争**（紀元前４３１～前４０４年）です。以来、諸ポリスは荒廃し、ギリシアは衰亡の危機に直面します。これを好機と見てギリシアから東方のオリエント文化圏までを一気に勢力下に置き、世界帝国を築いたのが、マケドニアの**アレクサンドロス大王**でした。

アレクサンドロス大王の東方支配は、後にどういった影響をおよぼしたのか、その統治体制の特徴について、具体的に説明しなさい。

◎ポリス同士の戦争を終わらせたのは、マケドニア王**フィリッポス2世**でした（紀元

◎アレクサンドロス大王　ヒントとポイント

個人崇拝を進めた世界帝国の支配者

前338年・カイロネイアの戦い）。翌年ギリシアはスパルタを除いて、**コリントス同盟**というポリス連合を立ち上げます。その盟主となったアレクサンドロス大王は、紀元前334年、荒廃したギリシアの再建を**東方遠征**に求めます。

◎**イッソスの戦い**（紀元前333年）で、ペルシア軍を敗退させると、アレクサンドロス大王は、エジプトを皮きりに「**東方ポリス＝アレクサンドリア**」を各地に建てていきました。その勢力圏はアナトリア（現トルコ）、エジプトから中央アジア、インダス川にまで広がりました。

◎この間、アレクサンドロス大王は自分を神格化しようとして、**個人崇拝を強め**、オリエントの君主のように振る舞おうとしました。もう市民共同社会を築いてきたギリシア文明圏の姿はありません。こうしてポリスの時代は終わりました。

◎東方遠征で**ヘレニズム文化**が出現しました。**東西文明の融合**が図られ、市民は世界のなかの個人として生きようという**世界市民主義**（コスモポリタニズム）が謳（うた）われました。世界の共通語は**コイネー**とよばれ、ギリシア語があてがわれました。

◎アレクサンドロス大王没後は、将軍たちが王位の継承をめぐってぶつかりました（ディアドコイ戦争・紀元前3世紀）。帝国はプトレマイオス、アンティゴノス、セレウコスの3王朝（ヘレニズム王朝）に分裂します。

Keyword **東西文明の融合、世界市民主義、個人崇拝**

アレクサンドロス大王は東西文明の融合と世界市民主義を謳ったが、実態は自己を神格化し、個人崇拝を強めた。それは後のヘレニズム王朝やローマ皇帝の支配の原型となった。（80字）

知っておきたいWord

コイネー

◉共通語の意。具体的にはギリシア語。エジプトで発見されたロゼッタ・ストーン（P.27参照）にギリシア文字が記されていたのは、エジプトがプトレマイオス朝（紀元前304～前30年）というギリシア人王朝だったからです。2～3世紀頃に書かれた『**新約聖書**』もコイネーです。

ムセイオン

◉エジプトのアレクサンドリアにプトレマイオス1世が建てた王立研究所。平面幾何学のエウクレイデス（ユークリッド）、太陽中心説（地動説）のアリスタルコス、地球球体説のエラトステネス、浮体の原理のアルキメデスらは、ムセイオンで研究した学者たちでした。

ヘレニズム文化

◉ヘレニズム文化といえば、なんといっても大理石の彫像です。ギリシア文化の静的な仕上がりに対して、躍動感があふれます。ルーヴル美術館にある「**サモトラケのニケ**」（**NIKE**）、「**ミロのヴィーナス**」はその典型。

05 地中海を内海にした ローマ帝国

アレクサンドロスの大帝国が分裂した紀元前3世紀、都市国家ローマがイタリア半島を統一します。その後、海外領土を広げると、紀元前1世紀末、ローマは地中海を「我らの海」としました。この海は、ヨーロッパ、アジア、アフリカの三大陸を結ぶ交易の磁場となって発展していきます。地中海は、いろんな勢力が出会う場所でした。これらの勢力を制してローマは地中海を仕切る一大帝国となったのです。

イタリア半島の都市国家にすぎなかったローマが、地中海帝国へと勢力を広げる過程について、具体的に説明しなさい。

◎ローマは**ラテン人**の都市国家です。紀元前509年頃、市民共同社会の共和政が立ち上げられました。政策は市民の代表300名からなる**元老院**（後に1000名近くに膨れあがる）で決められ、2名のコンスル（執政官・統領）が行政を担いました。

◎ローマ帝国　ヒントとポイント

地中海を制した空前の一大帝国が誕生

◎イタリア半島は地中海とヨーロッパ大陸をつなぐバイパス。ローマと南イタリアをつなぐ道路・**アッピア街道**の整備などとともに、紀元前272年、ローマは半島を統一すると地中海に膨張します。こうして、西地中海の交易圏を握るカルタゴとローマは全面戦争へ突入したのです。

◎これが**ポエニ戦争**（紀元前264～前146年）です。ローマは**ハンニバル将軍**の進撃に苦戦（紀元前216年・カンネーの戦い）しますが、最終的にはローマが勝利し、カルタゴは炎上。こうして地中海の西半部はローマが制しました。

◎ポエニ戦争が終わると、ローマは、今度はヘレニズム文化圏を制圧し、最後はクレオパトラ女王のプトレマイオス朝を打倒。こうして紀元前30年、地中海帝国出現のときとなりました。また紀元前50年代には、カエサルのガリア遠征が行なわれ、いまのフランス、ベルギー、オランダ、ルクセンブルクなどが属州（植民地）とされました。

◎ローマは奴隷制の帝国ともいわれます。奴隷制発達のきっかけはポエニ戦争でした。たくさんのカルタゴ軍の捕虜を奴隷として転売し、大地主たちは**ラティフンディア**（**奴隷制大土地経営**）の労働力としたのです。

Keyword **ポエニ戦争、ヘレニズム文化圏、ガリア遠征**

イタリア半島を統一したローマは、食糧生産地の確保と商業圏の掌握を地中海に求めると、ポエニ戦争に勝利し、ヘレニズム諸国も制圧。またガリア遠征も成功し帝国を築いた。（80字）

知っておきたいWord

カルタゴ

◉紀元前9世紀末、いまのレバノンに拠点を持つティルス市の**フェニキア人**が建てた植民市。場所は北西アフリカのチュニジアです。彼らは地中海の東西を航行して貿易で勢力を築きました。カルタゴはその中継点です。

ハンニバル

◉第2次ポエニ戦争を戦ったカルタゴの名将です。スペイン南岸から上陸して南フランスを抜け、アルプス山脈を越えてイタリア半島に進撃し、東部地域を12年にわたって占領、ローマを恐怖のどん底に陥れました。その勇猛果敢ぶりは、近代絵画のダヴィド作「サン・ベルナール峠越えのボナパルト」（P.181参照）に表れています。馬の足元に彼の名があります。

ラティフンディア

◉イタリア半島では大地主が商品作物を盛んに栽培しました。ワインやオリーヴ油などの原材料です。ほかに食用牛を育てるために、牧草地も経営しました。奴隷はそのために欠かせない労働力でした。

06 内乱を鎮め、ローマを救ったカエサル

カエサルCaesarの名は、皇帝はもちろん、ヒゲやサラダや帝王切開など、いろんなところで現代でも使われています。ローマは地中海帝国を築く過程で、属州や奴隷の反乱に直面しますが、カエサルはこうした反乱を鎮圧し、ガリア地方やイギリスを属州にして、権力抗争にも勝利し、ローマを救ったのです。

ローマはオクタウィアヌスの時代に帝政となった。だが、その統治は共和政的であるといわれた。その理由について説明しなさい。

◎ローマは**属州**という海外領土（植民地）の上に繁栄しました。世界中の富がローマ市民にもたらされるものと思われました。ですが、市場が活況を見ると、属州から

◉カエサル　ヒントとポイント

ローマの平和は帝政（皇帝政治）がつくった

安価な穀物が流れ込み、農業にいそしむ市民たちの没落が起こったのです。

◎農業にいそしむ市民とは、有事は**重装歩兵**になる者たちです。これが没落したら、どうなるでしょう。ローマ軍の編成が難しくなる。でも、そんなことはお構いなしに属州・奴隷の反乱が各地で発生。ヤバい……ですよね。

◎しかも権力を握ろうとする富豪や軍人といった有力者が、政界でガチで衝突。有力者は、没落した市民を兵士として雇い、私兵軍団をつくりました。

◎彼らは属州と奴隷の反乱をつぶしながら、お互いに内戦もやりました。そこを勝ち抜いたのがカエサルだったのです。カエサルは貴族で占められる元老院を軽んじ、平民の支持を背景に独裁者になりました。

◎共和政を重んじる元老院議員たちは、カエサルを殺害して、元老院体制を守ろうとしました。結局はカエサル同様、傭兵を統率した**オクタウィアヌス**が、**アウグストゥ**

ス（**尊厳者**）の称号を得て初代皇帝に就き、**市民の第一人者**が元老院を代表して政治を行なうというシステムを確立します。

◎ローマの繁栄が誇示されたのは**五賢帝**時代（96〜180年）。領土は最大、季節風貿易も進展。皇帝「安敦」の使節が中国・漢王朝に来航したのもこのときです。

Keyword **共和政の伝統、アウグストゥス、市民の第一人者**

オクタウィアヌスは、元老院から尊厳者を意味するアウグストゥスの称号を得ると、共和政の伝統を重んじて、市民の第一人者であるプリンケプスとなって政権を運営したから。（80字）

知っておきたいWord

プリンキパトゥス（元首政）

◉帝政ローマ時代の前期（紀元前27〜紀元284年）統治体制です。元老院は市民共同社会の代表機関。その「議員名簿の首位者」を**プリンケプス**（**第一人者**の意）といい、この人物（個人）が政権を担当する体制です。表面上は、元老院の代表が政治を司っているように見えます。

パクス・ロマーナ

◉「**ローマの平和**」と訳されます。ローマを中心軸に世界が回る。そういうイメージです。市民が経済や社会文化の発展を共有し、道路・コロッセウム（闘技場）・浴場・水道などの公共政策が進展しました。

季節風貿易

◉インド洋に吹く季節風を利用して、商人たちはアジアに向かいました。南インドのサータヴァーハナ朝（紀元前1〜紀元3世紀）や北西のクシャーナ朝（紀元45頃〜250年頃）との交易では、コショウ、象牙、ラピスラズリなどが輸入され、ヘレニズム文化がインドに伝わりました。

07 民族・階級を超え、世界宗教となったキリスト教

ローマ帝国に誕生した**キリスト教**は、**ユダヤ教**から分かれ、**世界宗教**へ発展しました。イエス・メシア教からイエス・キリスト教へと再編を主導したのは、パウロでした。しかしローマ帝国内の伝道で待っていたものは、皇帝による迫害でした。が、受難の時代を経て、4世紀末、キリスト教はローマ帝国唯一の宗教となります。こうした流れが、後のキリスト教ヨーロッパ世界の形成につながっていきます。

地中海東岸の一民族宗派から発展したキリスト教に対して、4世紀のローマ皇帝たちは、どのように対応したのか、具体的に説明しなさい。

◎イエスは元来ユダヤ教徒。神ヤハウェ（ヤーヴェ）が遣（つか）わした「**救世主**」（ヘブライ

◎キリスト教　ヒントとポイント

迫害されたキリスト教がローマの国教へ

語で**メシア**という）を名乗り、「神の国に入る」運動を説きました。が、これが反ローマ罪とされ、磔刑（たっけい）に処せられました。

◎イエスの復活を信じる弟子の**ペテロ**は、神に愛を捧げ、その救いを信じることで「神の国」に入れると説きます。それを**パウロ**は世界宗教にしました。しかしローマ伝道は受難のはじまりとなりました。キリスト教は邪教とされ弾圧されます。教団は「カタコンベ」という地下墓地での礼拝活動を余儀なくされました。

◎キリスト教が広がったのは、3世紀の危機のとき。属州（植民地）は増えない、奴隷制は衰退。それはローマの社会経済がダメになっていく兆しだと思われたからです。不安を取りのぞくには神にすがる。そういった思いが信徒の獲得につながりました。

◎4世紀初期、**ディオクレティアヌス帝**はキリスト教徒を大迫害。313年、**コンスタンティヌス帝**は、逆に**キリスト教を公認**することで、安定を図ろうとしました。

046

◎この間、キリスト教会では依然、生前のイエスは人間だとする**アリウス派**の主張が勢力を持っていました。３９２年、**テオドシウス帝**はこの状況を正すため、イエスの神性を主張する**アタナシウス派**を唯一のキリスト教としました。これによって、他の一切の**宗教・信仰は禁止されました**。

Keyword **キリスト教の迫害、公認、国教化**

ディオクレティアヌス帝は、皇帝を主（しゅ）と仰がないキリスト教を迫害。コンスタンティヌス帝は公認し、統治の安定を企図。テオドシウス帝はアタナシウス派を国教とした。（77字）

知っておきたいWord

神寵帝理念

◉4世紀の教父と讃えられたエウセビオスが説いた理念。皇帝は神に選ばれ、その恵愛を受ける立場にあり、神の国をモデルにして地上界を治める、とされました。著書に『教会史』があります。

ニケーア公会議

◉325年、ニケーア（現トルコ）で開かれたキリスト教の会議です。宗教会議は**公会議**とよばれます。議題は生前のイエスは神か、人間か！ 結局イエスを人間と見るアリウス派は異端とされました。ユダヤ教との違いを鮮明にするには、地上のイエスを神格化する必要があったということでしょう。

ギリシアでオリンピアの祭典中止

◉392年にキリスト教が国教化されたため、ギリシアの伝統的なオリンピアの祭典（P.31参照）は中止になりました。祭典では競技大会が行なわれますが、それはオリンポス12神の主神ゼウスに奉納する神事でした。

第2章

アジアではインドに仏教文化が誕生し、中国には統一王朝が出現した

050

インド、中国にも統一王朝が！

アレクサンドロス大王の遠征軍がやってくるぞ！　インドを守れ！――この使命感を自分に言い聞かせたのが、将軍チャンドラグプタ。インド初の統一王朝・**マウリヤ朝**（紀元前３１７頃～前１８０年頃）をつくった男です。

仏法政治で有名な**アショーカ王**の時代が終わると、今度はシルクロードの中央アジアに**クシャーナ朝**（４５頃～２５０年頃）が出現。領域は北インドまで広がります。躍動感たっぷりの**ヘレニズム**（ギリシア風の意）**文化**の影響を受けると、インダス川を中心に**仏像文化**が誕生します。

◎皇帝が力で統一した中国

統一王朝をつくろうという思いは、中国では神権政治の**殷**（いん）（紀元前16世紀～前11世紀）、封建政治の**周**（紀元前11世紀～前265年）の両王朝を生みだしました。が、ともに脆さがたたって消滅。

どうすれば強い統治体制がつくれるのか？　それにチャレンジしたのが、**秦**王朝（紀元前8世紀頃～前206年）の**始皇帝**でした。徹底した統一政策と家臣への信賞必罰（褒賞と刑罰）が特徴。

次代の**漢**王朝（紀元前202～紀元8年・25～220年）では、武帝の時代（紀元前141～前87年）にモンゴル系の**匈奴**を領内・周辺から排撃して、**東西交易路＝シルクロード**の開拓に努め、中国領は「カスピ海以東」と自賛するほどになります。

◎富を求めて西へ、西へと広がる

中国は東西交易路を握ることで、国際性を発揮して世界の中心になろうとしました。特に7世紀に建てられた**唐**王朝（618～907年）の首都**長安**（現・西安）はキリスト教やゾロアスター教の会堂がにぎわい、飲食店では、客たちがヘソ出しルックの女性の踊りを眺めながらワインを飲んだといいます。

唐王朝に朝貢する国も数多く、日本の遣唐使も、そのひとつでした。

しかし国際色が豊かという点では、**フビライ**の**元**(げん)王朝（1271~1368年）は、なかなかなのもの。東西交易や文化交流だけでなく、彼は家臣を引き連れて、北京(ペキン)で開かれるユダヤ教やキリスト教の祭典にも出席するほどでした。

その後の**明**(みん)王朝（1368~1644年）は、朝貢を世界によびかけ、大航海を展開。東アフリカまで訪れます。

そして最後の王朝となった満州(まんしゅう)族の**清**(しん)（1616~1912年）は、18世紀末、アヘン栽培と販路の国際ネットワークに組み入れられ、アヘン貿易から政治の表舞台にひっぱり出されることになるのです。

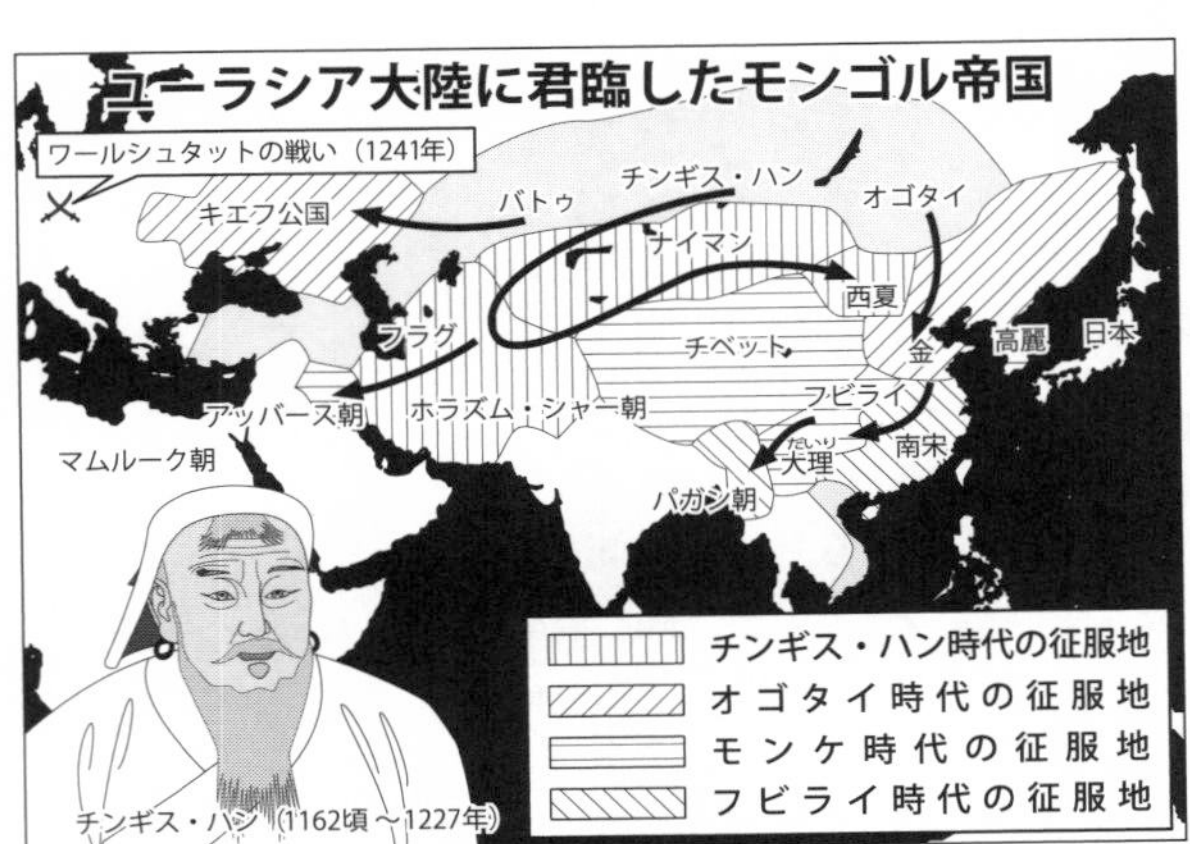

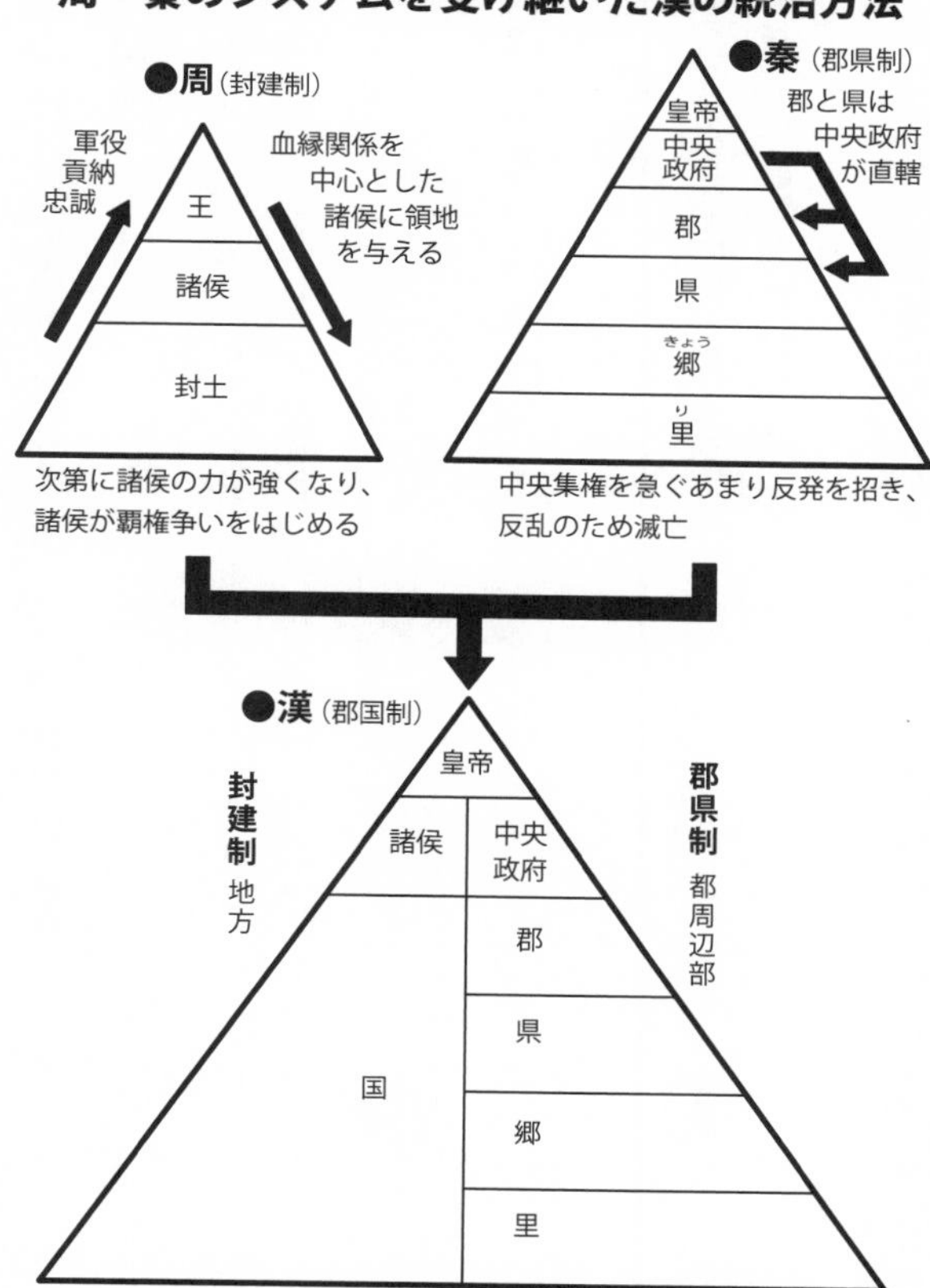
周・秦のシステムを受け継いだ漢の統治方法
●周（封建制）
軍役
貢納
忠誠
王
諸侯
封土
血縁関係を
中心とした
諸侯に領地
を与える
次第に諸侯の力が強くなり、
諸侯が覇権争いをはじめる
●秦（郡県制）
皇帝
中央
政府
郡
県
郷
里
郡と県は
中央政府
が直轄
中央集権を急ぐあまり反発を招き、
反乱のため滅亡
●漢（郡国制）
皇帝
諸侯
中央
政府
国
郡
県
郷
里
封建制
地方
郡県制
都周辺部
時間をかけて、皇帝の権力を強化するとともに諸侯の力を削ぎ、
呉楚七国の乱後、中央集権 を支える郡県制が全国的に成立した

08 古代インド諸王朝が注目した仏教

紀元前4世紀末、アレクサンドロス大王の東方遠征に刺激され、インドにマウリヤ朝（紀元前３１７頃〜前１８０年頃）が誕生しました。第３代**アショーカ王**は、統治方法としてダルマ（法）政治を導入。インダス川に侵入したクシャーナ朝（４５頃〜２５０年頃）では、大乗仏教を背景に仏像文化が栄えます。マウリヤ朝の継承者を自負したグプタ朝（３２０頃〜５５０年頃）では、**ヒンドゥー教**も成立しました。

紀元2世紀頃のインド北西部で、仏像文化が生まれた歴史事情について、具体的に説明しなさい。

◎インドに進入した**アーリヤ人**は、前１０００年頃ガンジス川に移り、農耕社会を築

◉仏教　ヒントとポイント

大乗仏教+ヘレニズム文化=仏像文化

きます。農作物は神々の恩恵とされ、多神教の**バラモン教**が誕生しました。

◎武士が活躍する時代になると、バラモン（司祭）を最高身分とすることに反発が強まりました。**ガウタマ・シッダールタ**（紀元前6世紀〜前5世紀？）が**仏教**を開いたのは、そうしたなかでのこと。仏教は身分階層である**ヴァルナ**を否定したのです。

◎仏教は、人間が抱える生（しょう）・老（ろう）・病（びょう）・死（し）という**四苦**（しく）からの救済を説くもの。それには、出家して八正道を実践し修行を積むことが条件。これが**上座部仏教**とよばれるものです。

◎自己救済よりも、出家できない多くの人々を救うことが大事、と説いたのが、**大乗仏教**を確立したナーガールジュナ。**ブッダ**（悟りをひらいた者）になることを決意した出家者は**菩薩**（ぼさつ）として尊ばれ、出家しない者のあいだに菩薩信仰が広がります。

◎同時代、中央アジアからインダス川を支配したクシャーナ朝は、ローマと中国・漢（かん）

の中継貿易で栄えます。クシャーナ朝の金貨は純度が高く、それを使った取引は商人の間で好評でした。

◎ローマとの交易を通じて、クシャーナ朝にはヘレニズム文化が伝わりました。一方インドでは、初めてブッダになった菩薩（＝**シャカ**）を崇敬しようという思いが高まりました。これらの要素が、ギリシア風の容姿を持つ仏像をもたらしたのです。

A

Keyword **菩薩信仰、ヘレニズム文化、ガンダーラ地方**

ガンダーラ地方に菩薩信仰が広まると、最初に悟りをひらいたブッダへの崇敬心が強まった。これはローマから伝わったヘレニズムの彫像文化と合体して仏像文化をもたらした。（80字）

知っておきたいWord

ジャイナ教

◉始祖**ヴァルダマーナ**（紀元前549頃～前477年頃）。煩悩・欲望を征服することで霊魂は清められるといいます。このため苦行に徹しなければなりません。仏教に似ていて、教えに不殺生主義があります。

グプタ文化

◉グプタ朝はインド古典文化の黄金期で、ヒンドゥー教が定着した時代。ヴァルナを重視する『マヌ法典』も完成します。宮廷詩人カーリダーサの戯曲『シャクンタラー』がつくられ、**十進法の数字表記**や**ゼロの概念**も考案されました。美術では日本・法隆寺金堂壁画に影響が見られます。

中国からのインド訪問者

◉グプタ朝が滅んだ後、北インドにヴァルダナ朝（606～647年）が興ります。この時代、唐王朝から仏教研究のために、**玄奘**が来訪。帰国後、『**大唐西域記**』を著します。7世紀後半、同じく義浄が海の道からインドを訪れ、このときの事情は『南海寄帰内法伝』に紹介されています。

09 黄河と長江、ふたつの流域に興った中国文明

大乗仏教が伝わった中国・朝鮮半島・ベトナム・日本は、東アジアに分類されます。その中心となったのが中国。この国には紀元前３０００年頃、畑作の**黄河文明**と稲作の**長江文明**が出現しました。黄河には殷墟を都に殷王朝（紀元前16世紀〜前11世紀）が、続いて鎬京（現・西安）を都に周王朝（紀元前11世紀〜前２５６年）が、ともに邑（都市国家）の連合国家を立ち上げます。これが中国王朝のルーツとなりました。

古代中国の黄河に成立した殷と周のふたつの王朝は、どのような統治形態をとったのか、これについて、具体的に説明しなさい。

◎１８９９年、いまの河南省安陽市で甲骨文字が出土したことが、中国文明研究のは

◉中国文明　ヒントとポイント

殷の神権政治と周の封建政治を比較せよ

じまりです。王国維らの努力で文字解読が進むと、中国史上最古の王朝＝**殷**王朝の存在が分かったのです。

◎殷の後半期の都の殷墟（現・安陽）では、**卜占**が行なわれました。政策案などを亀甲・獣骨に刻み（**甲骨文字**）、それを火で焼きます。熱でヒビ割れが起こると、それが神の意思とされました（**神権政治**）。

◎鎬京に都を置いた**周**王朝は、統治の安定を図るため、王の一族や有力な臣下に領地と同地の民を封じて、国を建てようとしました。これを「封侯建国」といい、略して「**封建**」制といいます。この制度のもとでは、臣下は王に対して「**礼**」を尽くすことで応えます。その代表的なものが軍役と貢納の義務でした。

◎周は封建制を強めるため、王家と臣下を血縁関係で固めました。王家が本家、諸侯が分家となり、**宗法**によって本家と分家の上下関係も決められます。分家は絶対服従ですから、本家の主宰する行事（例えば法事など）に出席します。そうしたさまざまな行事は、諸侯としての忠誠心の大事な見せどころでした。

◎周は紀元前770年、異民族犬戎の侵入で都を洛邑（現・洛陽）に移して再興を期しますが頓挫し、**春秋・戦国時代**（紀元前770～前221年）の下で衰亡を見ます。

Keyword **甲骨文字、神権政治、宗法を原理とする封建制**

殷は甲骨文字を使った卜占による神権政治を導入して、邑連合を築いた。周は本家と分家の宗法を原理に王家と諸侯の封建関係をつくり、諸侯は軍役と貢納の義務が課せられた。（80字）

知っておきたいWord

大邑商
◉殷の都となった殷墟は、大邑ともよばれます。末尾に付いた「商」は都の特権である塩の専売のこと。殷墟の人々は「**商人**」とよばれました。

春秋時代
◉紀元前770年、周王朝（西周）の洛邑遷都以後を東周時代（〜前256年）といいます。諸侯たちは周を守れということで「**尊王攘夷**」を叫んで軍事力を強めます。春秋五覇（斉・晋・呉・越・楚など）の五大諸侯が台頭。

戦国時代
◉そのひとつの晋が紀元前403年、内乱で滅ぶと「**下剋上**」の機運が高まり、新たに魏・韓・趙が王を名のります。これに斉・燕・秦・楚を含めて戦国の七雄が出現すると、戦国時代に突入しました。

孔子
◉**儒学**の祖。儒学の根本的理念を「仁」とし、彼の言行録は『**論語**』としてまとめられました。

10 初めて中国を統一した秦の始皇帝

紀元前２２１年、中国全土を初めて統一したのは**秦の始皇帝**でした。秦Chinは ＣＨＩＮＡ（シィン・チャイナ）の語源です。剛腕な始皇帝によって、統治体制は中央集権の郡県制がとられ、貨幣や文字、それに計量単位の度量衡も統一されました。思想も刑罰主義の法家以外は認められず、中央からの支配に対する反発は強いものがありました。そして始皇帝が没すると、農民の大反乱が起こり、秦は滅亡を見たのです。

秦の始皇帝がとった統一政策について、政治・社会・文化に関する具体的な事例を挙げて、説明しなさい。

◎**戦国時代**は中国全土を、燕・斉・魏・韓・趙・秦・楚が分けあっていました。これ

◉始皇帝　ヒントとポイント

皇帝独裁下の中央集権型の制度を徹底

が**戦国の七雄**です。秦王の政は紀元前221年、他の6国を征服しました。そして「王」に変えて、光輝くという意味の「**皇帝**」を称号にします。

◎始皇帝は都の咸陽に宮殿・阿房宮を建てました。ここを拠点に中央集権を目論んで、全土に**郡県制**をおしすすめました。直接中央から派遣された官吏に、各地を治めさせるやり方です。

◎中央には、法家の**李斯**が丞相（宰相）に起用されました。法家は「**信賞必罰**」、つまり刑罰を厳正に行なうのが政治の基礎であると説きます。

◎貨幣は**半両銭**という統一通貨が使われました。円形方孔型の通貨で、以後中国で発行される通貨のプロトタイプとなります。文字は**篆書**（漢字の書体の一種）で統一されました。

◎始皇帝は思想統制を徹底して行ないました。**焚書・坑儒**がそうです。司馬遷の『史記』によると、農業・医薬・卜筮（占い）関係以外の書物はことごとく焼かれ、数百人の儒者が生き埋めにされたとあります。

◎対外的には北方のモンゴル民族の**匈奴**に対抗して、蒙恬がアグレッシブに遠征をかけます。匈奴の侵入を防ぐために、**長城**の建設にも尽力しました。また、華南地方も征服し、南海郡（現・広州）などを設け、皇帝権力の絶対化を図ったのです。

Keyword **郡県制、半両銭、焚書・坑儒**

郡県制が敷かれ、各地を中央から派遣された官吏に治めさせた。通貨は半両銭、文字は篆書で統一され、農業・医薬・占い以外の書物は焼かれ、多くの儒者が生き埋めにされた。（80字）

知っておきたいWord

法家
◉秦の発展に貢献したのは、紀元前4世紀の**商鞅**。統一政策をときの秦王の孝公に進言しました。紀元前3世紀には「信賞必罰」を説いた**韓非**が注目されましたが、丞相に就いた李斯は有能な韓非を警戒し、毒殺しました。

半両銭
◉1個の重さが半両（8グラム）の銅銭です。円形ですが、中央に方孔、つまり四角い穴が開いています。この形状は、日本の富本銭や和同開珎にも見られます。

匈奴
◉紀元前3世紀末、冒頓単于の時代に最盛期を誇ったモンゴル系国家。

陳勝・呉広の乱
◉始皇帝が没すると、土木事業などの負担に苦しんだ農民が反乱に立ち上がりました。これを陳勝・呉広の乱といいます。陳勝は「王侯将相いずくんぞ種あらんや」と叫んで、農民反乱を指揮しました。

11 中国王朝のモデルをつくった前漢武帝時代

秦滅亡後、中国を立て直したのは**前漢**（紀元前２０２～紀元８年）でした。その隆盛を誇ったのが、**武帝**（在位紀元前１４１～前８７年）。匈奴遠征を行ない、ベトナムと朝鮮半島を手に入れ、西域にも領域を広げたやり手です。ですが、その後、財政難に直面し、これをしのぐため武帝は、経済統制政策を行ないます。そして儒学が官学とされ、その後の中国諸王朝に多大な影響をおよぼすことになったのです。

シルクロードの環境を整備したのは、前漢の武帝だという見方がある。それはどういうことなのか、具体的に説明しなさい。

◎前漢は建国当初、郡県制と封建制を併せた**郡国制**という統治方法をとりました。こ

◉武帝時代　ヒントとポイント

武帝は西域との交渉と匈奴遠征を行なった

れは秦の始皇帝が、急激に全土の統一を企て失敗したことを教訓としたやり方です。前漢は時間を置いてから、封建諸侯の力を削ぎます。これに反発した**呉楚七国の乱**（前154年）を鎮圧し、中央集権へ移りました。そして武帝が登場することになります。

◎武帝は、中国を圧迫していた北方の匈奴打倒をすすめます。まず、**張騫**を中央アジアの**大月氏**に派遣します。目的は、匈奴を一緒に倒さないかと提案することでした。これがきっかけとなって、武帝は**西域**への関心を高め、**タリム盆地**のオアシス諸都市を支配下に組み入れました。これにより、シルクロード東半部が開拓されていきました。

◎匈奴遠征が成功すると、黄河の西に**敦煌郡**が置かれます。また、ベトナムには**日南郡**（現フエ）、朝鮮半島には**楽浪郡**（現ピョンヤン）などが設置されました。

◎これほどの対外政策ですから、前漢は財政難に陥りました。武帝は財政再建をすすめます。まずは塩・鉄・酒の専売。それに均輸・平準。均輸は、特産物を政府に貢納させ、それを不足している地域に転売してもうけるのです。平準は物資を貯蔵しておき、物価高騰が起こると、それを吐き出して利益を得ます。物価は下がります。

◎国内では、官吏登用制度の郷挙里選が行なわれ、五経を経典とする**儒学**が官学とされました。司馬遷が『**史記**』を完成させたのも、武帝の時代でした。

Keyword **張騫、オアシス諸都市、敦煌郡**

武帝は張騫を中央アジアの大月氏に派遣して匈奴挟撃計画を提案。これを機にタリム盆地のオアシス諸都市を支配下に入れ、匈奴遠征後は西域への要衝となる敦煌郡を設置した。（80字）

知っておきたいWord

郷挙里選

◉地方長官の推薦による官吏登用制度です。本人の能力ではなく、評判が人材選定の条件とされました。実際は地方の大土地所有者である豪族が選ばれ、中央政界に進出するようになります。

董仲舒

◉武帝に仕えた儒学者。董仲舒は「五経」（易経・詩経・書経・礼記・春秋の五書）の専門家である五経博士を設置することを武帝に進言します。以後、官僚は「五経」を学ぶことが条件とされました。儒学が官学になったということです。

『史記』

◉司馬遷によって完成をみた太古から武帝時代までの歴史書です。当時でいえば、古代～現代までの全史を扱ったものとなります。編纂は紀伝体というメソッドがとられました。皇帝の事績（本紀）と功績を残した政治家や軍人などの伝記（列伝）からなっています。

12 アジアの東西をつないだ世界帝国・唐王朝

漢代（紀元前２０２～紀元８年・２５～２２０年）が終わると、中国は間もなく、混乱と分裂の時代に。「新中国」の転機は、鮮卑（モンゴル）系拓跋氏の北魏（３８６～５３４年）が建ったとき。この流れは、**隋・唐**王朝へと発展しました。７世紀、統一と平和を取り戻すと、陸路、海路を通じてたくさんのモノ・人が集まり、外交、文化交流も進展。都・**長安**（現・西安）は、国際都市の様相を見せたのです。

唐王朝の都・長安の国際性について、外交・貿易・宗教の面から、具体的に説明しなさい。

◎〈漢の時代＝中国〉という印象はアジア諸国に広がります。いまでも中国の文字は漢

◉世界帝国・唐王朝　ヒントとポイント

都・長安は国際交流の世界都市となった

字、民族は漢民族、中国語に訳すことは漢訳といいます。5世紀前半、華北を北魏がまとめましたが、漢化政策をとったため、漢の文化は保護されたのです。

◎ですが、隋・唐が実施した土地制度の**均田制**や、農民が衛士（首都警護）・防人（辺境守備）となる**府兵制**（軍事制度）は、北魏から続く北朝（439〜581年）のものでした。

◎隋（581〜618年）は、**大運河**建設のインフラ整備を行ないます。589年には漢民族の南朝（都・建康〈現・南京〉）を併合し、中国統一に成功すると、この地の文化であるコメの栄養と美味さに惹かれます。大運河は北と南の産業と商業、生産地と消費市場を結びました。名実ともに中国は統一されたのです。

◎こうした基盤の上に唐王朝（618〜907年）は立ち上げられました。都の長安には、留学生が集まり、仏教・道教のほか、**景教**（キリスト教ネストリウス派）・**祆教**（ゾロアスター教）・**マニ教**など西アジア系の風俗が流行しました。それを示すものが、**唐三彩**という陶器。商業で名高いイラン系ソグド人がラクダに乗った像が有名です。また、海上からは広州・揚州にムスリム（イスラーム教徒）商人も来航しました。

◎唐の国際性をひき出した要因に外交があります。各国は**朝貢使節**を送って、律令体制や都城制、仏教文化を取り入れ、自国の整備に役立てたのです。

Keyword **朝貢使節、ソグド商人、景教・祆教**

周辺諸国は、朝貢使節を送って中国文化の輸入に努め、自国の統治制度に役立てた。ソグド商人やムスリム商人がもたらす文物も紹介され、景教・祆教・マニ教も活気を見た。（79字）

知っておきたいWord

都城制

◉長安は周辺諸国にとって、あこがれの都市でした。まさに華の都。渤海（698～926年）の上京竜泉府や日本の平城京（710～784年）・平安京（794～1869年）は長安をモデルに建てられました。

大秦景教流行中国碑

◉781年、長安の大秦寺に景教の布教を記念して建てられた碑文。景教は635年にイランから伝わり、当初は波斯寺とよばれていた寺院は、後に大秦寺と改称されました。景教は祆教・マニ教と合わせて、唐代の三夷教とよばれました。

阿倍仲麻呂

◉唐に留学した日本人。科挙に合格して高官に登用され、玄宗皇帝に仕えました。外国人であっても、才能を見込まれ、官僚に取り立てられる者もいたのです。長安は、東西アジアの人間と文化を結びつける国際色豊かな都市でした。

13 チンギス・ハンとモンゴル帝国

唐（とう）王朝が滅んだ10世紀、北方アジアに半農半牧民の契丹（きったん）が台頭します。北京（ペキン）など華北の一角も支配しました。12世紀には半農半猟民の女真（じょしん）が、北方から華北全域を手に入れます。そして13世紀、**チンギス・ハン**が出現すると、時代は「**モンゴルの世紀**」となって、空前の世界帝国が誕生します。第5代皇帝**フビライ**の時代には、中国に**元**（げん）朝が立ち上げられ、駅伝制（ジャムチ）と航路による国際円環ネットワークが築かれました。

モンゴル帝国では、東西文化の交流が盛んに行なわれた。これについて、具体的な事例を3点あげて説明しなさい。

◎初代皇帝チンギス・ハンは、中央アジアからイランに広がるホラズム・シャー朝

◎モンゴル帝国　ヒントとポイント

欧州・イスラームとモンゴルの往来に注目

（1077～1231年）を倒すと西北インドに侵入し、チベット系西夏（1038～1227年）を滅ぼします。地図に照らすと、シルクロードを制したことが分かります。

◎第2代**オゴタイ**は中国の江南地方を除く東アジアをほぼ掌中に。甥の**バトゥ**は、ロシアから東ヨーロッパに遠征し、「草原の道」を握ります。第4代**モンケ**の下で、アッバース朝（750～1258年）が倒されイル・ハン国が成立しました。

◎モンゴルは世界征服により東西交易路を握り、**世界商業帝国**を建設することになりました。そのブレインとなったのは、トルコ系のキリスト教ネストリウス派教徒。それに財務・経済関係はムスリム（イスラーム教徒）。彼らは西域の人を意味する「色目人」とよばれました。

◎同じとき十字軍を起こしたヨーロッパでは、モンゴル帝国に関心をもち、ローマ教皇はプラノ・カルピニを、フランス王ルイ9世はルブルックを送っています。

◎また、フビライに仕えたイタリア商人の**マルコ・ポーロ**の『**世界の記述**』（**東方見聞録**）は反響をよびました。初のカトリック布教者としてモンテ・コルヴィノも大都（だいと）（現・北京）を来訪。イスラーム天文学を学んだ**郭守敬**（かくしゅけい）は、『**授時暦**』（じゅじれき）（カレンダー）を作成。元朝からも中国絵画が、イランに伝わり、ミニアチュール（細密画）の発達に影響を与えました。

Keyword **マルコ・ポーロ、『授時暦』、カトリック布教**

欧州ではマルコ・ポーロの『世界の記述』が反響を呼んだ。元朝ではイスラーム天文学を取り入れた『授時暦』がつくられ、モンテ・コルヴィノが大都でカトリックを布教した。（80字）

※Aは一例。「ヒントとポイント」にあるものなど他の事例でも、適切であれば例示可能です。

知っておきたいWord

イスラーム教国教化

◉モンゴル帝国内のイル・ハン国では13世紀末、イスラーム教を国教として保護。安定した統治を得るには、現地の宗教文化とうまくやったほうがいいという判断です。元朝でも儒学を土台とする科挙が中止されましたが、1313年には復活させ、漢化の傾向を見せます。

授時暦

◉元朝の郭守敬がつくった暦。日本でも用いられましたが、江戸時代の渋川春海はその精度を高め、「貞享暦」（1684年）をつくりました。

黒死病の影響

◉13世紀に伸展した東西交流は、「**オアシスの道**」「**草原（ステップ）の道**」「**海の道**」がひとつにつながって、東京の中央線と山手線のような円環ネットワークをつくり出しました。駅伝制が設けられ、これをたどるとユーラシア大陸のどことでも往来できました。東西の繁栄を断ったのは、14世紀の黒死病（ペスト）流行。これがモンゴル衰亡の外的要因となったのです。

14 ヨーロッパに先駆けて大航海時代を成し遂げた明王朝

元朝が滅ぶと、久しぶりに漢民族王朝が誕生します。**明**（1368〜1644年）です。ところが悩ましい問題を抱えての建国となりました。東シナ海を荒らしまわる**前期倭寇**をどうつぶすかという課題です。そこで採られたのが「**海禁**」でした。貿易を朝貢の一環としたのです。これに参入したのが、朝鮮国と室町幕府の日本でした。日・朝・明3国の対倭寇連合が**朝貢貿易制度**という国際秩序を生みだすことになるのです。

明の永楽帝の下で行なわれた鄭和の南海遠征とは、どういうものか、その目的と遠征先について、具体的に説明しなさい。

◎明王朝を建てたのは、朱元璋（初代洪武帝）。元朝を倒した紅巾の乱の指導者のひと

◉明王朝　ヒントとポイント

アジア諸国は明王朝に朝貢使節を送った

りです。海禁によって前期倭寇を鎮め、貿易は**朝貢貿易**のみとしました。朝貢使節は土産を持参する。皇帝はお返しをする。この関係が貿易とされたのです。日明間では、使節がホンモノかどうか、勘合符（割符）を合わせて確認しました（**勘合貿易**）。

◎朝鮮建国者の李成桂（りせいけい）と、将軍を降りた足利義満（あしかがよしみつ）は、それぞれ「国王」として、明の海禁に協力し、倭寇撃退作戦を推し進めます。李成桂はクーデタで興した朝鮮を明に認めてもらいたいと考え、足利義満は貿易の利益に期待します。

◎明は海禁というやり方で前期倭寇を抑え込むと、朝貢をもっと世界によびかけて明を国際社会の中心に据える「**中華**」帝国構想をすすめます。そのひとつが、永楽帝の時代に行なわれた**鄭和の南海遠征**（1405～33年・計7回）でした。

◎鄭和の艦隊派遣は、遠征といっても戦争ではなく、明王朝への朝貢をよびかけるものでした。マラッカ王国（14世紀末～1511年）は中継貿易で急成長を見ます。遠征先はインドのカリカットや東アフリカのマリンディ、モガディシュにもおよびました。朝貢をバネにお金とモノが動けば、世界の経済事情も良くなります。

◎明への朝貢は、東アジアの国際秩序となり、琉球（りゅうきゅう）（沖縄・１４２９～１８７９年）や大越国（ベトナム・１００９～１８０２年）でも行なわれました。

Keyword **朝貢、インド洋、東アフリカ沿岸**

鄭和は艦隊を率いて東南アジアのマラッカ王国をはじめインド洋から東アフリカ沿岸にまで遠征を行なった。７回におよぶ遠征は、南海諸国に明への朝貢を促すものであった。（79字）

知っておきたいWord

前期倭寇

◉倭寇には前期（14世紀末～15世紀初期）と後期（16世紀）があります。前期は私貿易集団が東シナ海でギャング化したもの。「倭」は日本を指しているわけではありません。後期は明の貿易統制政策・海禁に反発したもの。背景は大航海時代です。海禁を緩めると、後期倭寇は鎮まりました。

鄭和

◉永楽帝に仕えた宦官。科挙に受かった官僚ではありません。バリバリ漢民族主義の明のなかで、鄭和はトルコ系のウイグル人。しかもムスリム（イスラーム教徒）。海の道は、ムスリム商人が仕切っていましたから、遠征先での交渉のことを考えると、彼ほど格好の人物はいなかったでしょう。

マラッカ王国

◉マレー半島南西岸のマラッカに建った東南アジア初のイスラーム国家。東西交易の要衝にあったため、中継貿易で繁栄しましたが、大航海時代が進展すると、1511年、ポルトガルに占領されて滅びました。

15

アジア大陸の東半分を支配した満州族王朝・清帝国

徳川幕府が鎖国に入った頃、北京は大混乱を見ていました。１６４４年、明が**李自成**の乱で滅んだのです。すると、今度は北から侵攻して来た満州族の**清**（１６１６～１９１２年）が中国を占領します。清は、自分たちの風俗である**辮髪**を漢族の男子に強制して、征服王朝であることを誇示しました。そして周辺のチベット、モンゴル、ウイグルの3民族も監督下に置き、３００年にわたる一大帝国として君臨したのです。

清は支配勢力の満州族と、支配下の四つの主要民族からなっていた。四つの民族に対する支配政策について、具体的に説明しなさい。

◎清は中国に侵攻する際、内モンゴルのチャハル部を協力者にひき入れました。この

◉清帝国　ヒントとポイント

清は征服王朝と3民族自治体制を併用した

ことは、その後の清の周辺政策に影響を与えます。モンゴル族は敬虔（けいけん）なチベット仏教徒。これを見た清は、サービス精神を発揮して、チベット保護を大義に同地を勢力下に入れます。

◎チベットは東西交易で栄え、信徒たちは統治者**ダライ・ラマ**に心を寄せます。これを隣で見ていたイスラーム教のウイグル族は、しばしばチベットにちょっかいを出しました。このため清は、チベット仏教の保護者の立場から、ウイグル族を制圧しました。

◎これを整理すると、次のようになります。**満州族**の清は、**漢族**の中国を取るために内モンゴルに遠征をかけ、協力者にし、チベット仏教を信仰する**モンゴル族**に気遣って、チベットを保護しに遠征します。この頃、**ウイグル族**が、**チベット族**に手をだすこともしばしばでしたから、それを断つために、清はウイグル族を制圧したのです。「ピタゴラスイッチ」（ＮＨＫ　Ｅテレ）のピタゴラ装置のような連鎖の光景が見えてきませんか？

◎清は、漢族には明代の制度・文化を保護しましたが、一方で辮髪を強制し、その征服性を誇示しました。チベット・モンゴル・ウイグルの3民族に対しては、**理藩院**（りはんいん）の監督下に置きました。行政や文化の伝統を認め、自治としたのです。清の皇帝はチベット仏教の大檀越（だいだんおつ）（最大のサポーター・檀家）に就き、その運営を助けました。

Keyword **辮髪、理藩院**

明代の諸制度を継承し漢族の文化を保護すると同時に、辮髪を強制した。チベット・モンゴル・ウイグルの3民族については理藩院の監督下に置いて自治を認めた。（80字）

知っておきたいWord

李自成の乱

鄭成功と康熙帝

『五体清文鑑』

◉李自成を指導者とする農民反乱（1631〜45年）。明は国内の異民族の反乱鎮圧や豊臣秀吉の朝鮮出兵に対抗する戦いなどで、財政が逼迫。このため課税政策を強めたことから、反乱は広がりました。

◉北京占領後、清は「復明」（明朝の復興）を掲げる鄭成功と戦い、ときの清の康熙帝（在位1661〜1722年）は、これに勝利。中国全土を手にしました。鄭成功の母は、平戸出身の日本人、田川マツ。鄭成功は、のちの近松門左衛門の人形浄瑠璃『**国性爺合戦**』の主人公のモデルです。

◉乾隆帝（在位1735〜95年）の勅命でつくられた**五族言語**の**対照辞典**です。一段目が満州語、その下にチベット語・モンゴル語・ウイグル語・漢語の順に四つの言語が並びます。並びの順番に意味があります。最下位が漢語——中国征服王朝だからです。

第3章

共通の信仰と法のもと、独自の文化を発展させたイスラーム世界

イスラーム国家は世界を席巻する

36＋38は74。簡単な足し算です。お茶の子さいさいですね。数字はアラビア数字、算用数字とよばれます。これ以前は、例えば西洋（ラテン文字）では36＋38＝74は、**ⅢⅩⅥ（36）足すⅢⅩⅧ（38）はⅦⅩⅣ（74）**と書きました。計算しにくそう。

そう思うと、アラビア数字の恩恵って大きいですね。起源はインド数字。

◎貿易と一体化した科学・文化の発展

いまの数字が世界に広がったのは、**イスラーム商人**のたまものでした。

アッラーを唯一の神とする**イスラーム教**は、7世紀、アラブ人の宗教からはじまります。そして**ジハード（聖戦）**とよばれる侵略戦争を行ない、インダス川からエジプト、地中海南岸、さらにはスペインまでも勢力圏としました。

そうしたなか、イスラーム商人たちは内陸地域だけでなく、インド洋を中心に**海洋交易**を進めました。

彼らは、三角形の大きな帆を張った**ダウ船**を操って、明日はインドか、マラッカか……ペルシア湾から東シナ海、東アフリカまでもカバーしました。

夜の航海もまかせなさいです。秘訣は夜空の星。イスラーム商人の商業・貿易の決済は代数学、航海は天文学の発展と関係しています。

また、航海は世界へのワクワク感から空想的な冒険小説のネタの宝庫となりました。

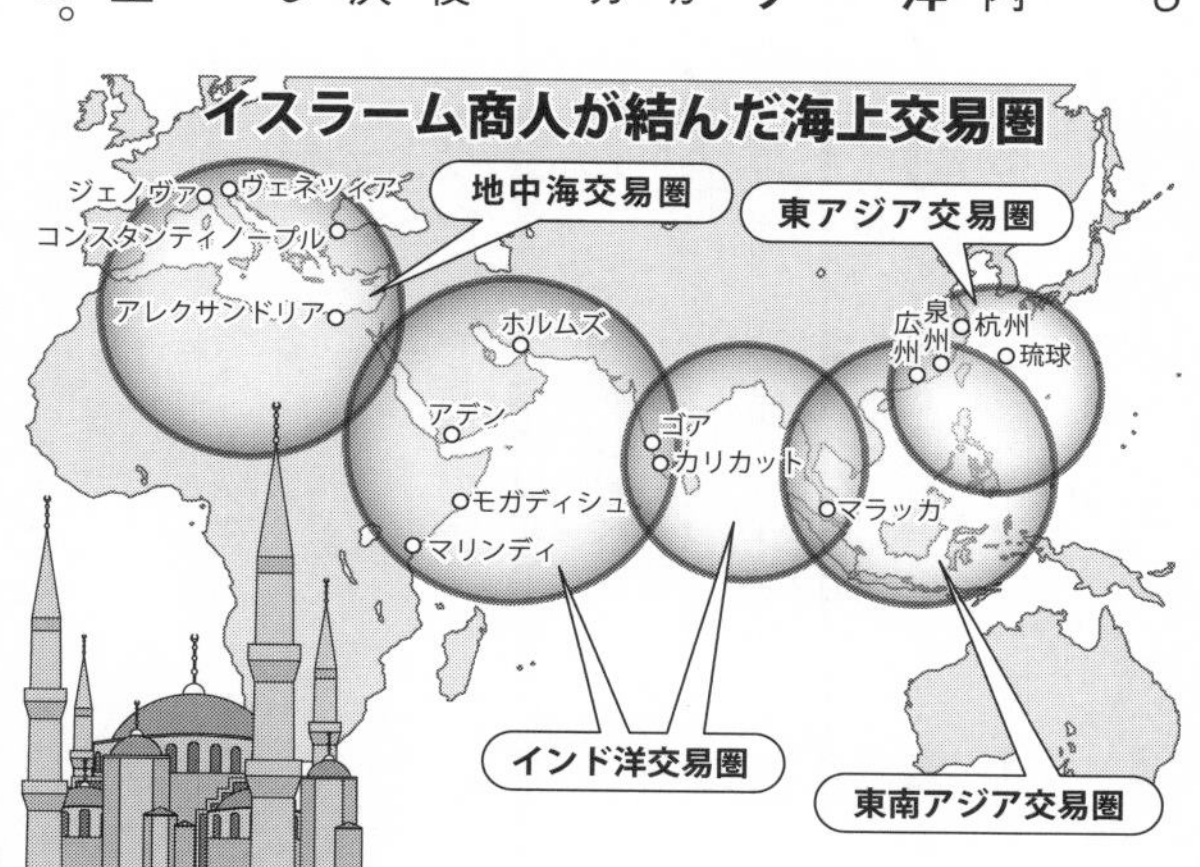

『**千夜一夜物語**』に収められている七つの海を相手にした「シンドバッドの冒険」はその一例でしょう。

商業貿易と科学・文化の創造は、イスラーム商人とつながっていたのです。

◎アッバース朝が実現した「神の前では平等」

彼らのこうした活動圏を支えたのは、歴代のイスラーム国家です。開祖・**ムハンマド**が説いたように、イスラーム教は「**神の前では平等**」といいます。ところが初期の**ウマイヤ朝**（６６１〜７５０年）は、アラブ人ファースト主義。同じイスラーム教徒であっても、アラブ人でないと税制で差別されました。

その不満が爆発すると、ウマイヤ朝は倒され、イスラーム教徒ファースト主義の**アッバース朝**（７５０〜１２５８年）が誕生します。これが**イスラーム帝国**です。そのポイントは人種・言語の違いを超えて、イスラーム教で結ばれた国家ということ。

後に台頭したトルコ系の**オスマン帝国**（１２９９〜１９２２年）やインドの**ムガル帝国**（１５２６〜１８５８年）でも、やり方の違いはありましたが、その骨格は受け継がれていきます。

ウマイヤ朝とアッバース朝で異なる税制

ウマイヤ朝
(661 ～ 750 年)

アッバース朝
(750 ～ 1258 年)

ウマイヤ朝

●アラブ人ムスリム
→ハラージュ(地租)・ジズヤ(人頭税)
ともに免除
●非アラブ人改宗者(マワーリー)・
非ムスリム(ズィンミー)
→ハラージュ・ジズヤともに 納入

アラブ帝国
アラブ第一主義

アッバース朝

●アラブ人ムスリム・マワーリー
→ハラージュは納入、ジズヤは免除
●ズィンミー
→ハラージュ・ジズヤともに納入

イスラーム帝国
神の前では平等

ムスリムの信仰と戒律

六信

①神(アッラー)	唯一絶対神
②天使(マラーイカ)	神と人間との仲立ちをする
③啓典(キターブ)	『コーラン(クルアーン)』が最良の啓典
④預言者(ナビー)	ムハンマドが最後にして最高の預言者
⑤来世(アーヒラ)	最後の審判を受ける
⑥予定(カダル)	人間の行為はすべて神が創造したもの

五行

①信仰の告白(シャハーダ)	礼拝のたびに唱える
②礼拝(サラート)	1日5回、メッカに向かって行なう
③喜捨(きしゃ)(ザカート)	困窮者救済のために富を分配する
④断食(サウム)	ラマダン月は、日の出から日没まで飲食禁止
⑤巡礼(ハッジ)	一生に一度はメッカに巡礼する

16 「神の前では平等」という教えのもとに広まったイスラーム教

7世紀、茫漠たるアラビア半島の一角に、**アッラー**を唯一の神とする宗教共同体（**ウンマ**）が誕生しました。ウンマはイスラーム教徒の小さな集団でしたが、ウマイヤ朝の時代に巨大化します。なんと西はスペインから東はインダス川まで！　しかもこれを仕切るのは、「**ムハンマドの代理**」とされたひとりのカリフで、その原理は「**神の前では平等**」。ところが、ここに大きな問題が横たわっていたのです。

ウマイヤ朝とアッバース朝の税制度に関して、ハラージュ（地租）とジズヤ（人頭税）の両方を負担する人々について、説明しなさい。

◎**ムハンマド**没後の指導者は**カリフ**とよばれ、有力者による選挙で決められました（正

◉イスラーム教　ヒントとポイント

イスラーム教徒同士は平等、というが…

統カリフ時代・632〜661年）。第4代カリフのアリーが暗殺されると、ウマイヤ家によるカリフ世襲制がはじまります（**ウマイヤ朝**・661〜750年）。

◎ところがウマイヤ朝の統治政策は、同じ**ムスリム**（イスラーム教徒）であっても、アラブ人であるかどうかが問われたのです。領内ではイラン人を中心にイスラーム教に改宗した者（＝**マワーリー**）が大勢いました。しかし、神の前では平等という原理が、マワーリーに適用されなかったのです。

◎ウマイヤ朝ではアラブ人は免税。それに対して、アラブ人でない者はイスラーム教に改宗しても**ハラージュ**と**ジズヤ**の両方を負担させられました。

◎ウマイヤ朝のこうした排他的なキャラクターは、命取りになります。マワーリーの不満を背景に、結局ウマイヤ朝は倒され、**アッバース朝**（750〜1258年）が建てられます。アッバース朝も、ウマイヤ朝と同じアラブ人王朝でしたが、神の前では平等という原理を掲げ、ハラージュは領民全員が負担。ハラージュとジズヤの

094

両方を負担するのは、ユダヤ・キリスト教徒といった非ムスリム（**ズィンミー**）に限定されました。

◎アッバース朝は人種や言語の違いを超えて、イスラーム教でつながったムスリムの一大帝国となりました。これがアッバース朝**＝イスラーム帝国**とよばれる所以（ゆえん）です。

Keyword **ムスリム、人種や言語、非ムスリム**

ウマイヤ朝では、ムスリムであっても、アラブ人でない者はハラージュとジズヤの両方を負担する。アッバース朝では人種や言語に関係なく、非ムスリムだけが両方を負担した。（80字）

知っておきたいWord

ウマイヤ朝

◉イスラーム帝国とは言えません。強いていえば、アラブ人優越帝国です。

シーア派

◉第4代正統カリフのアリーの血統にある者だけを、ウンマの指導者とする人々です。アリーの妻はムハンマドの娘でした。指導者の資格は、ムハンマドの血を継ぐ者、ということになります。

ハディース

◉ムハンマドの言行（げんこう）についての証言集。ハディースを「実践」することを**スンナ**といいます。多数派のスンナ派というよび名は、これに由来します。

ズィンミー

◉被保護民のこと。イスラーム帝国は、啓典（けいてん）の民（ユダヤ教徒・キリスト教徒）を認めます。啓典とは聖書。改宗しないで、自分たちの宗教を保ちます。その代わり、ハラージュとジズヤの両方を負担しなければなりませんが、そうすることで信仰だけでなく、生命・財産も保護されます。

17 アッバース朝のあとにトルコ人が建てた大帝国・オスマン帝国

13世紀、イスラーム世界は、モンゴル軍の遠征にさらされてんてこ舞い。イスラーム帝国のアッバース朝も、ついにアウト！　モンゴル人が支配するイル・ハン国が誕生し、勢力圏は、なんとイランからいまのトルコの首都アンカラに及びました。このままでいいのか！　とイスラーム世界の再編が求められるなか、トルコ人によって建てられた**オスマン帝国**（1299～1922年）が、新時代を開くことになります。

オスマン皇帝は、帝国内に住むキリスト教徒やユダヤ教徒に対して、どのような共存政策をとったのか、具体的に説明しなさい。

◎アナトリア（現トルコ）に興ったオスマン帝国は、バルカン半島南部を制圧すると、

◉オスマン帝国　ヒントとポイント

異教徒の自治社会を認めた「オスマンの平和」

1453年、皇帝**メフメト2世**は**コンスタンティノープルの占領**に成功します（P.122参照）。

◎コンスタンティノープルは、オスマン帝国の首都となり、**イスタンブル**と改称されます。が、その市民はこぞってギリシア正教会の信者。オスマン皇帝は、彼らに改宗を無理強い（むりじ）しませんでした。

◎続く皇帝セリム1世は、大変いい仕事をしました。イラン初の統一イスラーム王朝となった**サファヴィー朝**（1501～1736年）を**チャルディランの戦い**で破ると、シリアからエジプトに進攻し、**マムルーク朝**（首都カイロ・1250～1517年）を打倒しました。この結果、マムルーク朝の管理下にあった両聖都（メッカとメディナ）の保護権を、オスマン帝国が手にすることになったのです。

◎そして最盛期を築いた皇帝**スレイマン1世**は、サファヴィー朝からメソポタミアを奪い、地中海沿岸の北西アフリカにも支配を広げました。

098

◎これだけの領域を得れば、帝国内に、いろんな異教徒を抱えます。主なものはギリシア正教、アルメニア教会、ユダヤ教。こうした信徒たちを単位とする自治社会を**ミッレト**といいます。帝国は**ミッレト**と共存することで、「**パクス・オットマニカ**」（オスマンの平和）を実現したのです。

Keyword **ミッレト、ジズヤ（人頭税）、ズィンミー（被保護民）**

キリスト教徒やユダヤ教徒は、宗教別にミッレトよばれる自治社会の運営が認められた。ジズヤを貢納するというズィンミーの伝統を援用してイスラーム教徒との共存を図った。（80字）

知っておきたいWord

イスタンブル

◉オスマン帝国時代の首都。現在のトルコ共和国の首都はアンカラです。

チャルディランの戦い

◉1514年、アナトリアでオスマン帝国の鉄砲隊とサファヴィー朝の伝統的な騎兵隊の戦いがありました。戦闘形態の歴史的な転換を示し、織田信長と武田勝頼の長篠の戦い（1575年）を予感させるものでした。

サファヴィー朝

◉シーア派のイラン統一王朝。建国者はイスマーイール。16世紀末期のシャー（王）である**アッバース1世**のとき、**イスファハーン**が首都になり、都市建築も美しいその繁栄ぶりは「**世界の半分**」とよばれます。

スレイマン1世

◉攻めの皇帝です。イスラーム世界の再統合に成功すると、1526年、**ハンガリーを征服**し、1529年には**ウィーン包囲**を行ないました。その存在はヨーロッパを脅かすほどでした。

18 チンギス・ハンの子孫（!?）がインドに建てたムガル帝国

中国・元朝が滅ぶと、チンギス・ハンの子孫（!?）がサマルカンドに**ティムール朝**（1370～1507年）を建てました。その後ティムールの5代目を名乗る男が、モンゴル帝国の復興を唱えて、北インドに**ムガル帝国**（1526～1858年）を建てます。名は**バーブル**。血筋的には、チンギス・ハンの末裔ということでしょうか!? ムガルとは、北インド語で「モンゴル」の意味。さて、どんな国家だったのでしょう。

ムガル帝国のアクバル帝は、信仰と統治の両面で、どのような政策を行なったのか、具体的に説明しなさい。

◎インドにモンゴル帝国?? ——これって、どういうことでしょう。バーブルがチン

◉ムガル帝国　ヒントとポイント

ムスリムとインド文化の共存政策で発展

ギス・ハンの血筋かどうかはともかく、「ムガル」を名乗ることで、自分がモンゴル帝国の正統な継承者だと主張しているのです。

◎では、ムガル帝国はモンゴルなのか？　いえ、バーブルはトルコ系のイスラーム教・スンナ派教徒。イスラーム国家です。ですから、イスラーム帝国のやり方をインドに持ち込んで、貢納同然のジズヤ（人頭税）を強制すれば、帝国の運営はままなりません。

◎しかも16世紀は、イスラーム教とヒンドゥー教との融合を唱える運動が盛んになっていました。ナーナクが開いた**シク教**がそうです。愛と献身によって神とともに生きる。そうすることで、人は誰もが解脱（げだつ）できると説いたのです。

◎「イスラームか、非イスラームか！」——そんなモノサシで支配体制を組むのは、時流に合わない。それがインド社会の現状だと考えた第3代**アクバル帝**は、ヒンドゥー教との融和なくして、ムガル帝国の将来はないと予見し、ある決断をします。それが1564年のジズヤ撤廃でした。

◎この頃、インド北部を中心にヒンドゥー教徒のラージプート族が武士団の王国群を築いていました。アクバル帝は、このラージプート族を取り込むことで勢力の拡張を図ろうとしました。なんと結婚相手にもヒンドゥー教徒を選んだのです！　このような融合政策に帝国発展の特徴が見えます。

Keyword **ムスリム（イスラーム教徒）、ジズヤ撤廃、ヒンドゥー勢力**

支持基盤を固めるため、ムスリムとヒンドゥー教徒の融合を図った。ヒンドゥー教徒の女性と結婚し、非ムスリムへのジズヤを撤廃することで、ヒンドゥー勢力を味方につけた。（80字）

知っておきたいWord

新都アグラ

◉ムガル帝国の首都はデリー。第3代アクバル帝は、アグラに遷都。世界文化遺産の**タージ・マハル廟**（びょう）は、第5代**シャー・ジャハーン**のときに、ここに建てられました。その後、首都はデリーに戻ります。

アウラングゼーブ帝

◉17世紀後半期の第6代ムガル皇帝です。帝国に最大領土をもたらしました。信心深いムスリムだったため、ヒンドゥー教寺院の破壊やジズヤの復活を行ないました。これが帝国衰退の発端に。

東インド会社とインド

◉イギリスとフランスの独占貿易組織・**東インド会社**がインド港市に商館を建て、そこを占領したのも、アウラングゼーブ帝のときでした。マドラス（現チェンナイ）、ボンベイ（現ムンバイ）、カルカッタ（現コルカタ）はイギリスの、ポンディシェリ、シャンデルナゴルはフランスの、それぞれ勢力圏とされました。

19 古代文明圏を取り込んでいった イスラーム文明

イスラーム教は、中国を除く古代の「四大文明」圏を取り込みました。興味深いのはその広がりが、国際商業の活動圏と重なっていることです。このアドバンテージをバックグラウンドに、中世ヨーロッパにもイスラーム世界の影響は及んでいきました。そしてギリシア哲学の古典やアラビア科学などの書物が、ラテン語に翻訳されて紹介されるなど、イスラーム圏の経済・文化活動が世界をつないでいくことになるのです。

イスラーム世界がインドから取り入れたものと、中世ヨーロッパに紹介したものについて、具体的に説明しなさい。

◎イスラーム社会発展のポイントは、都市にあります。商人や軍人、それに知識人が住み、人々は**モスク**（礼拝施設）、マドラサ（学院）、スーク（バザール〈市場〉）を通じて日常の暮らしを営みます。

◎イスラーム文明　ヒントとポイント

ムスリム商人が東西世界をつないだ

◎都市と都市をつなぐ交通ネットワークが整えられると、イスラーム教は、商人が開いたルートに乗って、アフリカやインド、東南アジアにも着実に広がっていきました。

◎例えば西アフリカに、金の産出で有名なガーナ王国（7世紀頃～13世紀半ば頃）がありました。ムスリム（イスラーム教徒）商人は岩塩を金と交換して、このエリアを商業圏に入れると、13世紀にはイスラーム王朝の**マリ王国**が誕生します。

◎東南アジアでは、**マラッカ王国**（14世紀末～1511年）が、中国・明の鄭和の遠征（P.78参照）をきっかけに国際交易の拠点となって発展しました。

◎インドからは数学や天文学が伝わり、これによって**数字・十進法・ゼロの概念**が取り入れられました。このインド・パワーをエネルギーに開発されたのが、**代数学**と**三角法**でした。

◎また、スペインのトレドやシチリア島のパレルモでは、ギリシア哲学やアラビア科学の書物がラテン語に翻訳されました。これらは欧州に伝えられ、都市商業の繁栄を背景に、学問・文化の**12世紀ルネサンス**に影響を与えました。

Keyword **ゼロの概念、翻訳、ギリシア哲学**

インドからは数字・十進法・ゼロの概念が取り入れられた。ギリシア哲学やアラビア科学などの書物はラテン語に翻訳されて欧州に伝わり、12世紀ルネサンスに影響を与えた。（79字）

知っておきたいWord

製紙法

◉751年、タラス河畔の戦いで唐軍の捕虜からイスラーム世界に伝播。以来サマルカンド、バグダード、カイロなどに製紙工場が建てられました。

スワヒリ語

◉インド洋西方圏の共通語です。10世紀以降、ムスリム商人が住み着いたモガディシュ、マリンディなどの東アフリカ沿岸港市の現地語とアラビア語が融合したもの。

神秘主義

◉10世紀になると形式的な信仰を批判し、神との一体感を求める運動が盛り上がりました。経典『コーラン（クルアーン）』の文句を唱えて踊り出し、なかにはトランス状態に自分を追い込む聖者もいました。

マンサ・ムーサ

◉1324年、メッカ巡礼をド派手にやった西アフリカのマリ王国の君主。大量の金を奉納したという逸話は欧州にまで広まりました。

第4章

外敵の侵入で封建社会が形成された中世ヨーロッパ

ヨーロッパは皇帝・国王と教皇の二元支配へ

「ザビエルの聖腕（せいわん）」って、聞いたことありますか？

１５４９年、日本に来たイエズス会宣教師フランシスコ・ザビエルの右腕のことです。没後、半世紀以上経った１６１４年、総長の命令で、インドに安置された遺体から右腕が切断されます。ローマと日本に送るためでした。

しかしキリスト教が迫害されている事情が分かると、日本に送られるはずだった部分はマカオに留め置かれます。悲願がかなって日本の地に降りたのは、戦後まもない１９４９年のこと。二度目は１９９９年です。

◎イスラーム勢力の膨張がヨーロッパに封建制度を招く

キリスト教は16世紀、ザビエルが最果て（＝極東）の日本に伝えたことで、看板どおりの世界宗教となりました。

　そんなキリスト教も8世紀、存亡の危機に直面したことがあります。イスラーム勢力がヨーロッパに一大侵略を仕かけたときです。

　その天王山となったのが、732年の**トゥール・ポワティエ間の戦い**でした。**カール・マルテル**指揮下のフランク王国軍の奮闘によって、欧州キリスト教圏は守られました。カール・マルテルは、軍団に加わった戦士たちに**封土**（ほうど）を与えて家臣としました。この戦いに**封建制度**のはじまりを見ることができます。

　ヨーロッパの封建社会は、キリスト教圏を守る戦いから生まれた。こう言っていい

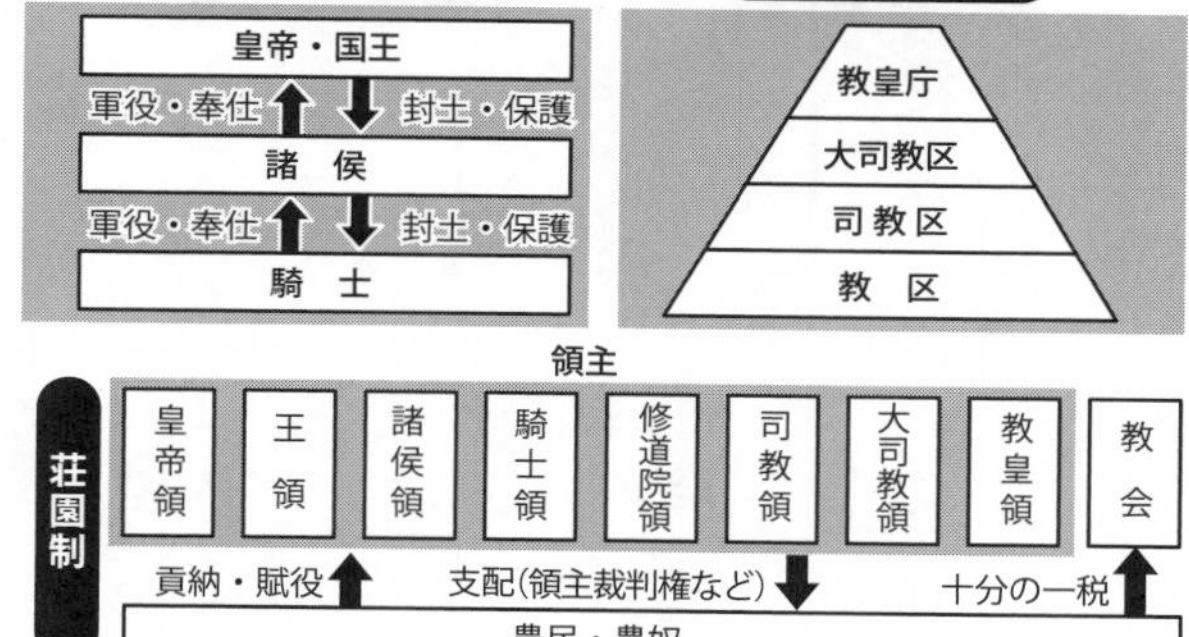

でしょう。

その後、**東フランク国王**が「**西ローマ皇帝**」に就くと、ローマ教会の頂点に立つローマ教皇との関係が微妙になってきます。「**皇帝と教皇、どっちが上なの？**」。

◎十字軍が示した教皇権の優越

この素朴な疑問は、聖地イェルサレム奪回を大義にした**十字軍派遣**（1096〜1291年）のときにハッキリします。

イスラーム勢力の侵略で苦境にあえいでいたビザンツ（東ローマ）帝国（395〜1453年）からローマ教皇に援軍（＝十字軍）の派遣要請があった際、その決定を下したのは教皇。十字軍派遣の時代は、教皇の地位をグンと引き上げることになりました。

そして戦火の下では、北イタリア諸都市とイスラーム商人とのあいだで、**東方貿易**が進展し、香辛料（コショウ）がヨーロッパに流入しました。こうした流通事情は、その後のヨーロッパ世界の歴史に大きな影響をおよぼすことになります。

ギリシア・ローマ文化を受け継ぎ1000年続いたビザンツ帝国

ローマ帝国

395年分裂

東ローマ（ビザンツ）帝国

西ローマ帝国

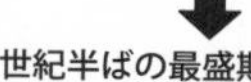

6世紀半ばの最盛期には、ローマ帝国領のほとんどを回復。東方勢力に対する防波堤となってきたが、オスマン帝国の侵攻を受け1453年滅亡

476年滅亡

ビザンツ帝国		西ヨーロッパ諸国
・皇帝が神の代理人として、聖俗の両権力を統括（皇帝教皇主義） ・中央集権的官僚制度	政　治	・教皇（聖）と皇帝、国王（俗）による二元支配 ・封建制
・商工業と貨幣経済が発展	経　済	・荘園制を基本にした自給自足
・ギリシア文化、ローマ文化と東方文化が融合	文　化	・ローマ文化とゲルマン文化が融合
・ギリシア正教	キリスト教宗派	・カトリック
・コンスタンティノープル総主教	最高指導者	・ローマ教皇
・コンスタンティノープル教会	総本山	・ローマ教会
・聖像禁止令（726～787年、815～843年） ・イコン（聖画像）崇拝復活（843年）	聖像崇拝	・崇拝を容認

20 ヨーロッパ世界の形成につながった ゲルマン人の大移動

風雲急を告げる4世紀末、ローマ帝国は未曾有の危機に直面。**ゲルマン人の大移動**です。逃げ惑う市民、阿鼻叫喚（あびきょうかん）の地獄絵図……これが「永遠の都」ローマの姿か！　帝国は東西に二分され、西側はゲルマン人に乗っ取られ、476年滅亡。ところが、その一派が建てたフランク王国は、後にローマ教皇から、「西ローマ帝国の復活」というお墨付きをもらうことになります。いったいフランク王国とは何なんでしょう。

ローマ教会とフランク王国が結びつきを強めるようになった8世紀西欧の動向について、具体的に説明しなさい。

◎ゲルマン人はライン川以東に広がる大部族。375年に移動をはじめ、西ローマ領

◎ゲルマン人の大移動　ヒントとポイント

ローマ教皇とフランク王国とのコラボ

内に入り、次々と建国します。注目されたのは、**フランク王国**（481〜843年）。

◎初代**クローヴィス**はガリア地方（現フランス、ベルギー、オランダなど）を統治するには、現地市民の支持が必要と考えました。そこで征服者面（づら）をせず、彼らと同じキリスト教アタナシウス派に改宗したのです（496年）。

◎ところが8世紀、ローマ教会は苦境に追い込まれます。東ローマ（ビザンツ）皇帝レオン3世が、聖像を使って布教するのはダメだ！　と言ってきたのです（聖像禁止令・726年）。教会側は、東ローマ皇帝に立ち向かえるような保護者を切望するようになりました。

◎そのときイベリア半島からガリアにイスラーム勢力が侵攻してきました。732年、メロヴィング朝フランク王国の宮宰**カール・マルテル**は、これを現フランスのロワール川以南の**トゥール・ポワティエ間の戦い**で撃退し、西欧キリスト教圏を異教から守り抜きました。そしてこれを見たローマ教皇はフランク王国に接近したのです……

フランク王国は求めていた頼れる相手だ、と。

◎751年、カール・マルテルの息子**ピピン**がカロリング朝を開くと、フランクの新王として教皇から承認されました。ピピンはそのお返しに、756年、イタリアのランゴバルド王国を攻撃して、奪い取った**ラヴェンナ地方を教皇に贈ります**。教皇は、フランク王国が教会を守る**「西ローマ帝国の復活」**だと期待するようになります。

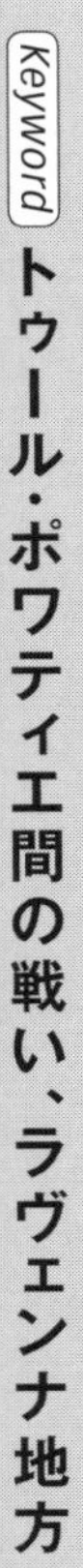

教皇はトゥール・ポワティエ間の戦いで欧州キリスト教圏を守ったフランク王国に接近し、新国王ピピンを承認。ピピンはその返礼に、ラヴェンナ地方を教皇領として寄進した。（80字）

知っておきたいWord

キウィタス
◉大移動以前のゲルマン人種族ごとの小国家のこと。貴族・平民・奴隷の身分がありましたが、平民も参加する**民会**で、ものごとが決められました。なお、英語の「CITY」（都市）はラテン語の「CVITAS」（キウィタス）が語源。

ランゴバルド王国
◉イタリア北部に建てられたゲルマン人国家（568～774年）。東ローマの威を借りてローマ教会を圧迫し、イタリアの支配を狙います。フランク王ピピンは、この国の南部側を奪って教皇領としました。

カール大帝
◉フランク王国最盛期を築いた君主。ランゴバルド王国打倒。侵入してくるアジア系**アヴァール人**も撃退し西ヨーロッパの統一を成し遂げます。

カロリング・ルネサンス
◉カール大帝がアルクインなど多数の学者を宮廷に招くと、ラテン語による文芸復興運動「カロリング・ルネサンス」が興りました。

21 カトリックの権威であるローマ教皇が制した叙任権闘争

教会の保護者＝フランク王国は10世紀末に消滅。今度は、「**ヴァイキング**」と恐れられたノルマン人が各地に建国します。アジアからは、**マジャール人**も殴り込んできます。教会はだれが守るのか！　そこに現われたのが、ドイツのオットー1世でした。しかし11世紀後半、神聖ローマ（ドイツ）帝国内の聖職者任命（叙任）権の所在——教皇か、皇帝か——をめぐって、両者は真っ向からぶつかったのです。

ローマ教皇とドイツ皇帝とのあいだに起こった11世紀後半の対立、その争点と結果について、説明しなさい。

◎ローマ・カトリック教会（ローマ教会）という組織は、聖ペテロ（サン・ピエトロ）

◉ローマ教皇　ヒントとポイント

叙任権闘争は教皇の地位向上につながった

によって建てられたといわれます。「**ペテロの後継者**」を**ローマ教皇**といいます。

◎教会組織の拡張・発展には、聖職者の養成が必要となります。その核となったのが、6世紀にはじまる修道院運動でした。が、11世紀後半、清貧主義の高まりを背景にローマ教皇の「**グレゴリウス改革**」が進展します。どんな改革か、具体的に見てみましょう。

◎11世紀後半、品格のある強気な教皇**グレゴリウス7世**が登場しました。彼は聖職者の妻帯を禁じます。また、ドイツでは皇帝が〈教会監督者＝司教〉を任命していることを非難し、ダメ、ダメ！と声高に叫びます。教会に関する事柄は聖界のことであり、どこの国だろうと、聖職者の任命は教皇がやりますから口を出さないで！と主張したのです。

◎負けん気の強い神聖ローマ皇帝**ハインリヒ4世**は、教皇を「飢えた狼」と罵倒（ばとう）。両者にらみ合ったままの状態となりました。このとき教皇が、水戸黄門の印籠（いんろう）のように皇帝に「破門」（＝社会追放）通告を出したのです。こりゃヤバい。破門を解いてもらうため、皇帝は教皇が滞在しているイタリアのカノッサを訪れ、３日間の雪中懺悔（ざんげ）のやむなきに至りました。これが世にいう「**カノッサの屈辱**」（１０７７年）です。

◎**叙任権闘争**は１１２２年、教皇と皇帝による**ヴォルムス協約**で終結へと向かいます。叙任権は教皇の側にあり、とされました。

Keyword **叙任権、カノッサの屈辱、ヴォルムス協約**

聖職叙任権をめぐって教皇と皇帝が対立すると、教皇は皇帝を破門。皇帝はカノッサの屈辱を強いられたが、両者はヴォルムス協約を結び、叙任権が教皇にあることで合意した。（80字）

知っておきたいWord

帝国教会政策
◉神聖ローマ皇帝による教会支配政策のこと。帝国では成立以来、皇帝が人事を介して教会を支配しました。狙いは皇帝権の強化。これが俗による聖への介入と教皇から非難され、叙任権闘争の原因となりました。

クリュニー修道院
◉910年、フランスのブルゴーニュ地方に立ち上げられた修道院。聖職者の世俗化を批判して、教会改革運動の中心となりました。叙任権闘争の時代にはクリュニー派の修道院は1500を数えたといわれます。

ハインリヒ4世
◉叙任権闘争の続きを受けて立った神聖ローマ皇帝。カノッサの屈辱から3年後の1080年、ハインリヒ4世ははらわたの煮えくり返る思いで、教皇グレゴリウス7世のローマに侵攻し、リベンジを果たします。

マジャール人
◉1000年にハンガリー王国を建てたアジア系民族。

22 地中海世界の統一を成し遂げたビザンツ帝国

商業と貨幣経済の大看板が似合う国といえば、**ビザンツ（東ローマ）帝国**でしょうか。首都**コンスタンティノープル**（現イスタンブル）は、「お金とモノが動く街」――中世ヨーロッパ最大の貿易都市として栄えました。政治面では皇帝が「キリストの代理人」とされ、教会も支配。そしてギリシア文化を土台に、１０００年を超える歴史絵巻がつづられました。では、その国際政治はどんなものだったのでしょうか。

6世紀のユスティニアヌス大帝の対外関係について、地中海沿岸域の動向を念頭に置いて、具体的に説明しなさい。

◎ローマ帝国のコンスタンティヌス帝が発行した**ソリドゥス金貨**は、ビザンツ帝国に引き継がれ**ノミスマ**とよばれました。金の含有率が高く、国際通貨としても広く流通しました。アメリカドルがよく「$」で略記されるのは、ラテン語の「Solidus(ソリドゥス)」のSに由来しています。

◎ビザンツ帝国　ヒントとポイント

帝国はヨーロッパとイスラームの狭間で花開く

◎ビザンツ帝国の最盛期は、6世紀の**ユスティニアヌス大帝**の時代。彼一代限りでしたが、地中海世界の統一に成功します。北アフリカの**ヴァンダル王国**とイタリア半島の**東ゴート王国**を倒し、イベリア半島の**西ゴート王国領南部**も取り込んだのです。

◎同じとき、ビザンツ帝国は隣国**ササン朝ペルシア**軍に攻められ、一時はシリア地方のアンティオキアを乗っ取られます。7世紀にはアラブ人ムスリム（イスラーム教徒）の侵攻を受けて、シリアとエジプトを失います。しかもバルカン半島にはスラヴ人が移住してきます。

◎11世紀末、状況はさらに悪化。イスラームのセルジューク朝がアナトリア（現トルコ）を占領すると、13世紀前半には第4回十字軍が首都を奪って、**ラテン帝国**（ヴェネツィアの植民地）が建てられました（P.126参照）。

◎その後ビザンツ帝国は復活しましたが、もう勢いはありません。１４５３年、オスマン帝国に滅ぼされます。この局面を世界史的に見ると、東地中海に打ちたてられた古代ギリシア以来の文化的伝統が終わったということです。そして中世キリスト教圏を卒業し、そののちはイスラーム世界の機軸となったのです。

Keyword **ヴァンダル王国、東ゴート王国、ササン朝**

地中海帝国の復興を図り、北アフリカのヴァンダル王国とイタリアの東ゴート王国を滅ぼしイベリア半島の西ゴート王国南部を併合した。またササン朝のシリア侵攻に対抗した。（80字）

知っておきたいWord

ノミスマ

◉ビザンツ帝国で発行された金貨。重さ4・48グラム、純度95・8パーセント。11世紀末にセルジューク朝の侵攻で打撃を受けると、金貨製造は難しくなり、純度も50パーセントに落ち、経済は衰退しました。

ユスティニアヌス大帝

◉在位527~565年。**『ローマ法大全』**を編纂しハギア・ソフィア聖堂を建立。また、中国の養蚕技術を取り入れ、絹織物産業を推進しました。

サンヴィターレ聖堂

◉北東イタリアのラヴェンナに建てられたビザンツ式聖堂。ユスティニアヌス大帝夫妻のモザイク壁画が有名。

皇帝教皇主義

◉ビザンツ帝国では、皇帝は地上での神の代理人となって絶大な権力を握りました。俗界の皇帝が、西欧でいうローマ教皇の地位を兼ねる体制です。ですから、宗教上の政策も皇帝が発することになります。

23 ヨーロッパ社会に大きな影響を与えた十字軍派遣

ビザンツ（東ローマ）帝国は国際通貨のシンボルです。それに加えて9世紀になると、ムスリム（イスラーム教徒）商人が商社マンよろしく世界中の陸路・海路で大活躍。

そうしたなかで、降って湧いたのが、**十字軍派遣**（1096～1291年）でした。イスラーム勢力との全面戦争です。決定者はローマ教皇**ウルバヌス2世**——キメ台詞は「神は派遣を欲しておられる！」。この一言にヨーロッパ中が、沸きました。

十字軍派遣時代に進展した東方貿易について、北イタリアとムスリム商人との関係を例にあげて、具体的に説明しなさい。

◎十字軍派遣は計7回行なわれました。第1回は当初の目的であった「**聖地イェルサ**

レム奪回」に成功。第4回は北イタリアのヴェネツィア共和国が、なんとビザンツ帝国の首都を占領（ラテン帝国建設・1204～61年）しました。

◉十字軍派遣　ヒントとポイント

200年間の派遣時代に東西交易が活発化

◎十字軍派遣は世俗の側、特に経済事情から見ると、オモシロい存在です。12世紀、西欧で農業生産が向上すると、作物などの余剰が発生し、これを人々が定期的に特定の場所に集まって、交換しあうようになります。こうした状況の積み重ねから商業都市が発達し、全欧規模の商業ネットワークも発展しました。そこに東方貿易も加わったことで、ヨーロッパでは商業と貨幣経済が復興し、にぎにぎしくなりました。

◎北イタリアでは貿易をバネに、ヴェネツィア、ジェノヴァなどの港市国家が発達。インドからアラビア半島に搬入される**香辛料**を、ムスリムの**カーリミー商人**がエジプトのアレクサンドリアまで運びます。こうして北イタリア諸都市との間で**東方貿易**が進展しました。

◎変化は経済や都市の発達に限ったものではありませんでした。十字軍派遣時代が終わってみると、各国で王権が強まり、世俗の側がモリモリとパワーをつけ、皮肉なことに教皇の威厳は低落しました。

◎そしてついに14世紀、ローマ教皇はフランス内のアヴィニョンに置かれることになり、国王の目の届くところとなりました（1309〜77年）。なんと、ローマにはいないローマ教皇となってしまったのです。

A

Keyword **香辛料、カーリミー商人、東方貿易**

カーリミー商人がインドから輸送された香辛料などをアラビア半島南西岸のアデンで受け取り、アレクサンドリアに運んだ。北イタリア商人はこれを買い付けて、欧州に広げた。（80字）

知っておきたいWord

ダウ船

◉紅海～インド洋で活躍したムスリム商人の帆船。インド、東南アジアと海のあるところどこへでも行きます。船は三角形の大きな帆を使って逆風でも前に進めます。大きなダウ船になると、1隻で、ラクダ600頭分の積荷（約180トン）を運べたといいます。

旅行ブーム

◉十字軍派遣時代は巡礼という名の旅行ブーム。巡礼の目的地はカトリックの本山ローマ（イタリア）、十二使徒のひとり、聖ヤコブの墓があるサンチャゴ・デ・コンポステラ（スペイン）、そして「そうだ聖地、行こう。」ということでイェルサレム。巡礼は見聞を広める楽しいものでした。

インノケンティウス3世

◉ローマ教皇史上、絶頂期を築いた十字軍派遣時代の教皇。教皇と神聖ローマ皇帝の関係を「**教皇は太陽　皇帝は月**」にたとえます。共に必要なものですが、明るさの違いから、教皇の存在を誇示したのです。

第5章

世界の一体化とともに拡大するヨーロッパ世界

新航路の開拓により、世界中の富がヨーロッパへ

グローバリゼーション――いまやヒトの移動はもとより、物流も情報サービスの授受も、ボーダレスの世の中。その源流を探っていくと、15世紀につきあたります。

ポルトガルとスペインから動きだした**大航海時代**は世界を大きく変えました。イベリア半島の両国が進めた航路の開拓は、ヨーロッパの活動圏をダイナミックに広げることになったのです。

その水先案内人となったのが、ポルトガルの**香辛料貿易**。そして**新大陸のメキシコ銀**（＝スペイン銀貨、スペイン・ドル）**や日本銀の流通**でした。銀は、まるで磁石のよう。世界各地の商取引を惹(ひ)きつけて、世界の一体化＝グローバル化を促しました。

◎国交は信仰のあり方まで変えた

同じとき、イタリアから興った**ルネサンス（人間復興）**がヨーロッパに広まります。ルネサンスは芸術だけではありません。いままでのような教会中心の価値観ではなく、人間を軸にモノを見つめようという主張でもありました。

それはキリスト教のあり方にも影響をおよぼします。例えば、人間と神は教会ではなく、聖書をつうじてつながっている。ならば聖書を信仰し、その教えにしたがった生活を送ろうという考え方です。

こうした状況は、ヨーロッパの東西に**宗教改革**の炎をたぎらせることになりました。ローマ教会にとっては、空前の危機です。

ルター派・カルヴァン派の主張と特徴とは？

この状況を「許すまじ！」と立ち上がったのが、カトリックの守護者を自負するスペイン王**フェリペ2世**でした。新大陸銀を一手に握って、16世紀後半、「**太陽の沈まぬ国**」と讃えられるほどに繁栄したスペインでしたが、しかしオランダ独立戦争（1568～1609年）（八十年戦争とも・～1648年）やイギリスとの海上戦争で軍事費がかさむと、財政破綻をひき起こします。

◎王権強化に成功した英仏が強大化し、激突する

17世紀になると、フランスでも王権が強くなり、イギリスとしのぎを削ります。英仏は、王権は神からの授かりものだから、だれも逆らえない。そんな主旨の政治思想で武装して、**絶対王政**（**君主主権国家**）の一時代を打ちたてます。そして英仏は北米大陸、インドに勢力を拡張し、国際政治の主導権をめぐって激しくぶつかりました。

この英仏の争いは、17世紀末から19世紀初頭にかけて**第2次百年戦争**（1689～1815年）とよばれるほどでした。これに勝利したイギリスは、近代国際社会の頂点に躍り出ることになります。

大航海時代はレコンキスタの延長!?

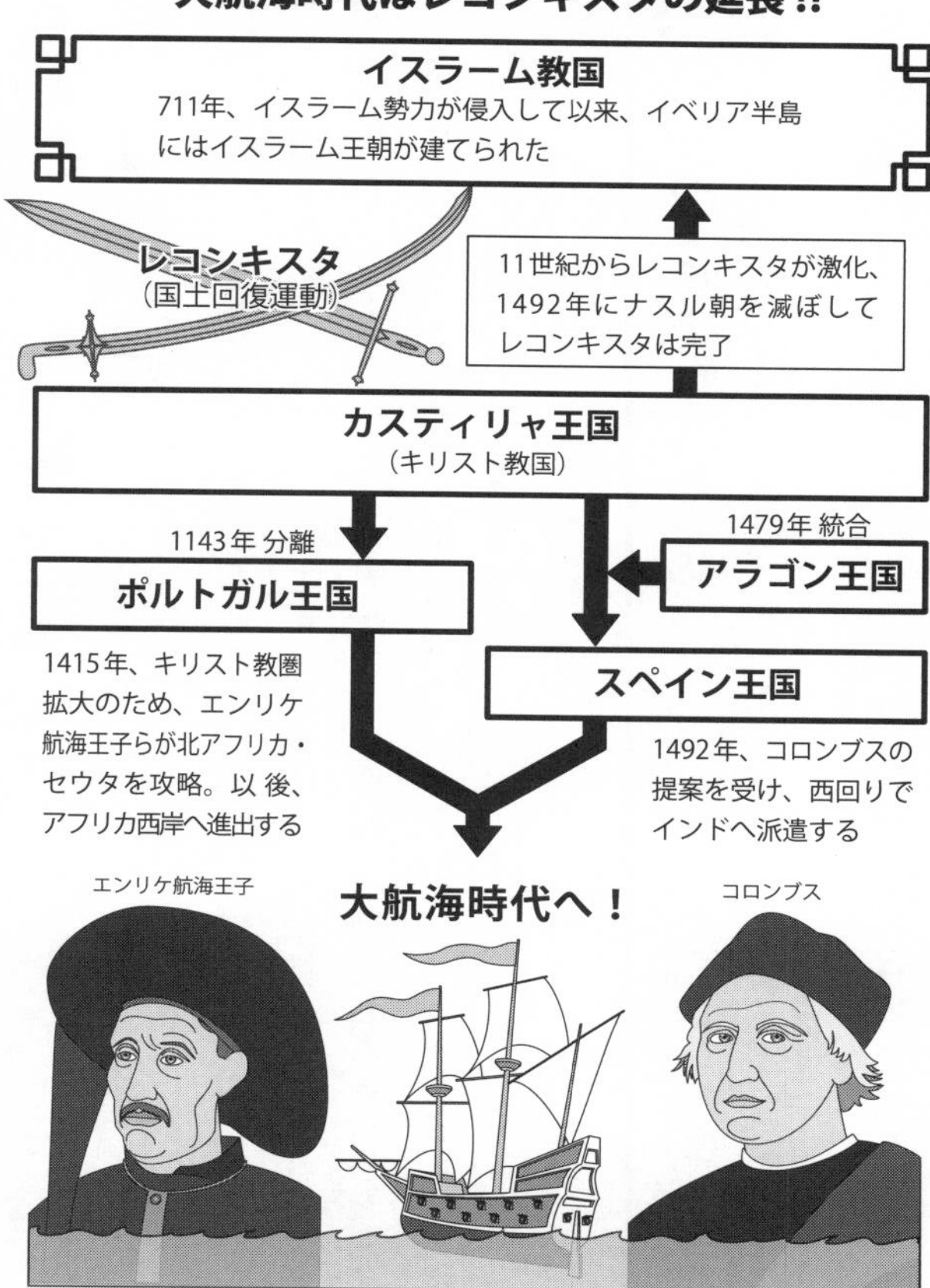

24 ヨーロッパに「発見」された アメリカ大陸

十字軍の時代、イベリア半島でもイスラーム勢力との戦いが進展しました。これは**レコンキスタ**（**国土回復運動**）とよばれ、15世紀、**大航海時代**の精神に援用されて、西欧はインドをめざします。コロンブスは、大西洋から**西回り**で到着したところを西インドと説明。ところが、その地は西インドではなく、「新世界」――アメリカだったのです。

コロンブスの大航海が実現したのは、ある国の支援とイタリアの天文学者の教示があったからという。これについて、具体的に説明しなさい。

◎大航海は当初、ポルトガル王ジョアン1世（エンリケ航海王子の父）の下で進めら

◉アメリカ大陸　ヒントとポイント

新大陸「発見」でヨーロッパ世界は拡大

れ、アフリカ西岸に進出して、金や象牙といった奢侈品（しゃしひん）のゲットしたい〜！　くらいの話からはじまりました。

◎ところが地中海東岸にオスマン帝国が台頭し、**香辛料貿易**の先行きが読めなくなると、コショウの価格が跳ね上がりました。そうなると、これならインドに行って、直に香辛料貿易をやったほうがもうかるんじゃないかという考えも出てきました。

◎一方**コロンブス**は、ポルトガルが開拓する東インド航路に対して、大西洋を渡って西からのインド到着をめざします。サポーターは、**イサベル女王**のスペイン。そしてフィレンツェの天文学者**トスカネリ**から、**地球球体説**の教えを受けたコロンブスは、この説を信じて渡航計画を進めます。

◎こうして1492年、コロンブス率いるスペイン船団が、スペインのパロスを出港。船団は大西洋の荒波を越えて、カリブ海のサンサルバドル島に到着します。そこはいまのバハマ諸島あたり。彼は、この地をインドの入口と説明しました。

◎続いて**アメリゴ・ヴェスプッチ**が、西インドに向かいました。彼はこの一帯を調べた結果、西インドはインドではない「**新世界**」だと主張します。16世紀に入ると、アメリカ大陸入りの地図が初めてつくられ、そこには「アメリカ」という呼称がつけられていました。

Keyword **イサベル女王、トスカネリ、地球球体説**

インドとの香辛料貿易に期待したスペインのイサベル女王の支援とフィレンツェのトスカネリから地球球体説の教えを受けたこと。これが西回りインド航路の開拓につながった。（80字）

知っておきたいWord

ヴァスコ・ダ・ガマ

◉1498年、インド西岸のカリカットに到着した探検家。ポルトガルの大航海政策の立役者です。イベリア半島とインドを結ぶ「**インド航路**」の開拓に成功し、香辛料を船一杯に積んで帰って来ました。

アメリゴ・ヴェスプッチ

◉コロンブスに続いて、西インド調査のため大西洋越えを実行。この地を「新世界」と主張しました。1507年、ドイツの地理学者ヴァルトゼーミュラーがつくった世界地図に「アメリカ」という呼称が使われます。これがきっかけで、「新世界」は、いまもアメリカとよばれています。

ラス・カサス

◉16世紀スペインのドミニコ会宣教師です。征服されたラテン・アメリカで、現地民のインディオたちがどんな目にあっているかを告発します。このレポートは『インディアスの破壊についての簡潔な報告』と題されて国王カルロス1世に提出され、以後インディオ虐待（ぎゃくたい）は禁止されました。

25 銀がリードしてつくり上げたグローバリゼーション

コロンブスの後は、征服の大ラッシュ！　新大陸（アメリカ）のほとんどがスペインの植民地にされました。広大なこの地で銀が採掘されると、それが国際通貨となって、アジア貿易、果ては黒人奴隷貿易にも使われました。銀の流れはヨーロッパ・アメリカ・アジア・アフリカをひとつにつなげます。現代につながる**グローバリゼーション**（世界の一体化）のルーツは、この時代にあったのです。

16世紀後半、スペイン商人が展開したガレオン貿易とは何か、また、それが中国にどのような影響を与えたのか、具体的に説明しなさい。

◎スペインの隆盛が目立ったのは、16世紀後半、いまのボリビアの**ポトシ銀山**で銀が

◉世界の一体化　ヒントとポイント

銀が国際経済のグローバル化をリードした

たくさん採れてから。銀塊の多くはスペイン本土だけでなく、メキシコに回され、直径38ミリの鋳造通貨「**メキシコ銀**」（スペイン・ドル）がつくられました。

◎メキシコ銀は、遠洋航海用のガレオン船に積み込まれ、メキシコのアカプルコからフィリピンのマニラに運ばれます。中国産の絹や陶磁器を買い付けるためです。これを**ガレオン貿易**といいます。

◎こうして中国（明）にはメキシコ銀がため込まれ、物事の価値基準を銀に置く銀本位制が広がりました。税制では地税（土地税）と丁税（賦役労働）を銀に換算して支払う制度がとられます。これを**一条鞭法**といいます。

◎一方スペイン本土にも、大量の銀が流れ込みます。物流はいままでどおり。しかも西欧全体が人口増加傾向にあったため、食糧価格が急騰していました。そこにもってきて銀の大量流入ですから、物価は2～3倍に跳ね上がるインフレになりました。こうした状況は**価格革命**とよばれます。

◎銀はヨーロッパからコショウ・絹・陶磁器貿易を通じてアジアに、そしてアメリカでの鉱山採掘、土地経営の労働力としてアフリカから**黒人奴隷**が送り込まれました。銀が国際交易の橋渡しとなって、世界の一体化をもたらしました。

Keyword **メキシコ、フィリピン、一条鞭法**

スペイン領メキシコとフィリピンを結ぶ太平洋経由の貿易である。ガレオン船に積まれたメキシコ銀で中国の絹・陶磁器を輸入。銀は一条鞭法という中国税制改革をもたらした。（80字）

知っておきたいWord

商業革命
◉大航海時代の到来で、ヨーロッパ商業の中心が、東方貿易以来の北イタリアから大西洋岸のイベリア半島に移ったことをいいます。

サツマイモ
◉メキシコ原産、ガレオン貿易でアジアに入りました。日本には琉球（沖縄）と薩摩藩から伝わり、その後対馬藩から朝鮮へ。飢饉に強く人を救うことから対馬では孝行芋とよばれ、これが朝鮮で「コグマ」となりました。

サトウキビ
◉東大入試でも出題されましたが、サトウキビはアメリカ原産ではありません。東南アジア原産といわれています。意外にもラム酒の原料です。

日本銀
◉石見銀山（島根県）から長崎に運ばれた日本銀は、中国製生糸の輸入代価となって流出しました。新大陸の銀同様、日本銀が国際金融をリードすることになりました。

26 ヒューマニズムが根本にあった ルネサンス

〝世界の一体化〟前夜のことです。ヨーロッパでは教会中心の世界観ではなく、人間を軸にモノを見つめようという運動が起こりました。そうした精神は、学問や芸術の形をとって表現されました。それが**ルネサンス（人間復興）**。文芸活動を通じて、人間主義の復興が唱えられました。こうした価値観は後に、個人を重視するという価値観を刺激し、新時代の流れにつながっていくのです。

15～16世紀のヨーロッパに起こった北イタリア留学事情について、地中海東岸の動きを念頭に置いて、具体的に説明しなさい。

◎ルネサンスは、**古代ギリシアや共和政ローマ時代の精神文化**って良いよなぁ～！　市

◎ルネサンス　ヒントとポイント

ルネサンスの土台となったのはギリシア文化

民の共同社会は人間＝個人の集合体だ！　という人間を土台とした価値観です。

◎中世ヨーロッパでは、人々は教会に頼りました。ですが、14世紀半ば、**黒死病**（**ペスト**）の大流行に対し、教会はなすすべもなく、全欧人口1億1000万人のうち、3000万人以上が亡くなったのです。これは人々の目に「教会の敗北」と映りました。

◎ペストがきっかけで、**人間主義**の価値観が再考されるようになります。近代文学の祖と讃(たた)えられる**ボッカチオ**は、小説『**デカメロン**』の「序章」で、ペスト大流行の様相を紹介し、そこから人間を題材とする本編に入ります。

◎同じとき、北イタリアの目と鼻の先のビザンツ（東ローマ）帝国に激震が走りました。領内のギリシアで、イスラーム教の**オスマン帝国**が攻勢に出たのです。そして1453年、ついにビザンツ帝国は滅亡します。この間の衝撃的な事態は、**ギリシアの文人**たちを襲いました。

◎彼らは亡命同然に新しいパトロンを求めて、商業で栄える北イタリアに移住し、ギリシア語やギリシア文化のなんたるかを、この地で学べるようになりました。こうして人間主義の気風は、イタリアに広まったのです。ルネサンスは16世紀、アルプス以北の貴族や君主の保護を受け、芸術面がきわだちます。このため中世文化の延長だとも言われますがそれは森を見て、光る木（＝新時代）を見ない愚論でしょう。

Keyword **オスマン帝国、ギリシア文人、人間主義**

15世紀、オスマン帝国の侵攻でビザンツ帝国が滅ぶと、領内のギリシア文人たちが北イタリアに移住。この地でギリシアの言語・文化が学べることになり、留学運動が起こった。（80字）

知っておきたいWord

ルネサンス様式

◉ルネサンス期の建築様式です。古代ギリシア・ローマの列柱が多用されることもしばしば。特徴は、なんといっても半円アーチ型の大天井でまとめた意匠（デザイン）。ブルネレスキ設計の**サンタ・マリア大聖堂**は、その代表です。

コペルニクス

◉ポーランドの神学者。名門クラクフ大学で天文学に関心を示し、その後、北イタリアに留学すること数回。ボローニャ大学で法律を、パドヴァ大学では医学を習得。１５４３年、**地動説**の『天球回転論』を出版。初版本が手もとに届いたとき、コペルニクスは息をひきとりました。

マキァヴェリ

◉16世紀初期のフィレンツェ共和国の外交官。「**近代政治学の祖**」の誉れも高い政治家です。１５１３年頃、『**君主論**』を著し、イタリア半島統一という理想を、「市民の第一人者」（君主ではない➡プリンケプス。P.43参照）が強力に進めるべきだと主張。「君主論」は誤訳に等しいタイトルです。

27 エラスムスが産んだ卵をルターが孵した宗教改革

イタリアでギリシア語を学んだ！　――そのひとりに16世紀最高の人文主義者・エラスムスがいました。彼は帰国後ラテン語対訳付きのギリシア語版『校訂新約聖書』を出版します。が、それ以上にその名を高めたのが、『愚神礼賛』。ローマ教会をおちょくって、貶すような話に多くの人たちが大興奮したのです。以後、教会批判の声が高まると、それを宗教改革へ組織したのが、ドイツの**マルティン・ルター**でした。

ルターの影響を受けて、イギリスやスイスのジュネーヴでは、どのような宗教改革が起こったのか、具体的に説明しなさい。

◎ルターは、キリスト教の真理は教皇でも、教会でもない。**聖書信仰**にのみあると言います。そして**エラスムス**の教会批判に共鳴して、1517年、教会への疑問や批判を記した「**九十五カ条の論題**」を発表して**宗教改革**に決起。「エラスムスが産んだ卵をルターが孵した」というのは、そういう意味です。

◎聖書を信仰するといっても、聖書が読めないとダメ！ そこでルターは、だれもが読めるように**聖書のドイツ語訳**を行ないました。

◎ドイツは**プロテスタント**〈**新教**・〈抵抗者〉の意〉のルター派と、**カトリック**〈**旧教**〉に分裂。そして両者は内戦へ（1546〜47年）。最後は**アウクスブルクの宗教和議**（1555年）で終わります。以後、ドイツの諸侯や都市はルター派か、カトリックかのいずれかを選べることになりました。

◎イギリスでは国王**ヘンリ8世**が**国王至上法**（**首長法**）（1534年）を発して、教会を支配。ローマ教会とは絶縁し、別個に**イギリス国教会**を発足させます。

◉宗教改革 ヒントとポイント

カトリックとプロテスタントは衝突の末妥協

◎ルターの影響はスイス・ジュネーヴの**カルヴァン**にも及びます。彼は聖書の教えに従い市政を運営しました。仕事は神から与えられたものだから、**勤労**は神に祈る行為に匹敵する、と。そして日常の**倹約**を勧め、**蓄財**はその結果であって、神に忠実だった証（あかし）だとします。カルヴァン派は西欧の商工業者に支持され、イングランドでは**ピューリタン**、フランスでは**ユグノー**、ネーデルラントでは**ゴイセン**とよばれました。

Keyword **首長法、カルヴァン、勤労・倹約**

英王ヘンリ8世は首長法を発し、国内教会の首長を兼ね、国教会を設立。ジュネーヴでは市政を握ったカルヴァンが聖書の教えを実践し、勤労・倹約による神の救済を提唱した。（80字）

知っておきたいWord

ミュンツァー
◉ドイツ農民戦争（1524～25年）の指導者。ルターの影響で農民反乱が起こると、神の国を地上に建てようとしました。神の国は魂の救済にあると見るルターは激怒し、諸侯たちに訴え、農民反乱を潰させました。

ヘンリ8世
◉王妃との離婚問題からカトリックをやめ、ローマ教会と絶縁しました。離婚に反対した大法官のトマス・モアは処刑されます。

予定説
◉カルヴァンのキリスト教観です。神による救済は予定されている。それは、勤労と倹約の生活を全うすること。蓄財はその結果だから当然と主張。

マックス・ヴェーバー
◉20世紀ドイツの社会学者。『プロテスタンティズムの倫理と資本主義の精神』（1904～05年）を著し、カルヴァン派など新教派の生活・倫理観が、資本主義発展の精神文化に影響を及ぼしていると分析しています。

28 「太陽の沈まぬ国」スペインを没落に追い込んだオランダ独立戦争

16世紀後半、スペイン・ハプスブルク朝は、「太陽の沈まぬ国」と讃えられる空前のカトリック帝国を築きました。ところが富は、本土ではなく、飛び地のネーデルラントに流れていきました。ここは商業と金融、そしてカルヴァン派の拠点。政府はカトリックを強制し、重税を課します。それが**オランダ独立戦争**（１５６８〜１６０９年）（八十年戦争とも・〜１６４８年）を招き、スペインの凋落を決定づけたのです。

Q

オランダ独立戦争について、独立宣言が出される前後の事情を、イギリスの動向を踏まえて、具体的に説明しなさい。

◎フェリペ２世（在位１５５６〜９８年）は絶頂期のスペイン国王。領土は本国のほか、ベルギー、オランダ、ルクセンブルク、イタリア、ポルトガル、フィリピン、中南米にまで及びました。その上新大陸銀と国際貿易も掌握し、まさに、スペインは**「太陽の沈まぬ国」**そのものでした！

◎ところが難題が。フェリペ２世は、宗教改革でガタがきた欧州カトリック圏の引き締めを図ろうとし、１５６８年、この地の抑え込みにかかります。重点地区はネーデルラント。いまのベルギー・オランダ・ルクセンブルクです。特にアントウェルペン（現ベルギー・アントワープ）は欧州最大の国際商業・金融都市。それだけに香辛料、銀貨もザックザク。フェリペ２世はこんなオイシイところはないと思ったでしょう。

◎スペイン本国によるカトリックの強制と重課税策がはじまると、ネーデルラントは「ＮＯ！」の大合唱。１５７９年、この地の北部７州は、**ユトレヒト同盟**をつくって本国と対決しました。この同盟がオランダ独立の母体となり、１５８１年、独立宣言が出されます。

◉オランダ独立戦争　ヒントとポイント

フェリペ2世は威信をかけた戦いに敗北

◎そうはさせまいと、１５８５年、スペイン軍がアントウェルペンを徹底的に攻撃します。このため商業と金融の拠点は、アムステルダムに移ります。同じとき、大西洋の海上覇権をめぐってイギリスがスペインと反目。これを背景に両国は１５８８年、**アルマダ海戦**で衝突します。イギリスがこれに勝ったことから、オランダの独立は有利になり、１６４８年、**ウェストファリア条約**で独立が承認されました。

Keyword **ユトレヒト同盟、アルマダ海戦**

ユトレヒト同盟に結集したネーデルラント北部7州が、オランダ独立宣言を出すと、同時代スペインと対立したイギリスがアルマダ海戦で勝利。このため、独立は有利になった。(80字)

知っておきたいWord

オランダという国名

◉独立後の正式名称はネーデルラント連邦共和国（1581〜1795年・現王国）。日本でオランダとよばれるのは、独立の中心となった「ホラント」州が〈ポルトガル語の発音＝オランダ〉で徳川幕府に紹介されたためです。

グロティウス

◉「国際法の祖」「近代自然法の父」と称された法学者。17世紀、『海洋自由論』『戦争と平和の法』を著し、オランダ独立を支持。名門ライデン大学に11歳で入学し、ギリシア語・哲学・数学・法律論で頭角を現わし、14歳で卒業。15歳でオランダ首相の外交随員に抜擢されました。

ウェストファリア条約

◉1648年、ドイツのウェストファリア地方で開かれた**三十年戦争**の講和会議・条約です。全欧規模の国際会議で、神聖ローマ帝国は約300の主権国家連合へ。オランダ、スイスの独立が認められたのもこの条約です。

29 イギリスとフランスが植民地帝国をかけてぶつかった七年戦争

スペインが凋落（ちょうらく）すると、18世紀、イギリスとフランスがメキメキと力をつけ、ヨーロッパ政治の軸になります。フランス王ルイ14世が北米大陸に植民地を広げ、インドに出張ったのも、このときでした。イギリスだって、負けていられません。英仏の王者決定戦は、**七年戦争**（1756〜63年）となってガチで勝負に出ます。その勝者が「18世紀植民地帝国」のチャンプになるのです。

七年戦争でイギリスとフランスはどのような結果を見たのか、具体的に説明しなさい。なお国名は英・仏・米と略記してよい。

◎七年戦争は「**18世紀の世界戦争**」といわれ、歴史的には別格の扱いです。ヨーロッ

◎七年戦争　ヒントとポイント

七年戦争はイギリス植民地帝国への布石に

パと北米大陸とインドの三大陸を股にかけた国際戦争でした。はじまりは、オーストリアとプロイセンの国境にあるシュレジエン（現ポーランド領）領有問題でした。

◎**オーストリア継承戦争**（1740～48年）のときに、プロイセンがオーストリア領だったシュレジエンを占領。オーストリア女王**マリア・テレジア**は、これを取り戻すために開戦を準備します。

◎オーストリアは、フランスと同盟を組んでの開戦です。ならばと、イギリスはプロイセンを支援。当時英仏は、北アメリカ大陸の植民地化をめぐって、**フレンチ・インディアン戦争**（1754～63年）を戦っていました。

◎英仏はヨーロッパ大陸では七年戦争、北アメリカ大陸ではフレンチ・インディアン戦争を同時に進めました。両方の戦争を併せて七年戦争とよぶこともあります。結果は、イギリスが大勝利（パリ条約・1763年）。プロイセンも、シュレジエンの領有権を確定させます（フベルトゥスブルク条約・1763年）。

◎**北アメリカ大陸にあった仏領は全て喪失。ケベック**（現カナダ）と**東ルイジアナ**は英領、**西ルイジアナ**はスペイン領に。また、イギリスはスペインからフロリダを譲り受けます。同じときイギリスは、インド北西部の**プラッシーの戦い**（1757年）でフランスと現地ベンガル太守の連合軍を破り、インド植民地化の流れをつくります。

Keyword **ケベック、東ルイジアナ、プラッシーの戦い**

仏は北米大陸内の全植民地を失った。ケベックとミシシッピ川以東のルイジアナは英領となり、同時期のプラッシーの戦いにも英が勝利し、インド植民地化の主導権を獲得した。（80字）

知っておきたいWord

18世紀の世界戦争

◉七年戦争は、フレンチ・インディアン戦争（英仏北米植民地抗争）、プラッシーの戦いとセットになった世界戦争です。対立の中心軸は英と仏。それに利害が絡む各国が参戦します。英仏にとっては植民地拡張がかかった戦い。オール・オア・ナッシングの大勝負でした。

外交革命

◉七年戦争の開戦前夜、オーストリアは大胆な対仏政策をとりました。15世紀以来、敵対してきたフランスとの敵対関係をチャラにし、歴史的な和解を遂げたのです。マリア・テレジアが娘マリ・アントワネットをフランスに嫁がせたのは、このときでした。

フリードリヒ2世

◉オーストリア継承戦争でシュレジエン地方を占領し、七年戦争でその領有権を確定させたプロイセン国王。フルート奏者であり、啓蒙（けいもう）思想家ヴォルテールとも親交があった文化人でした。

fiction
brain
mind
life
fitness
だいわ文庫

wisdom
uccess
joy
fiction

第6章

〝大西洋革命〟が変革していく世界

大西洋が変わるとき、世界は大きく動いた！

アイスクリームといえば、ラムレーズン。そういう方も多いのでは？ラム酒の香りづけでレーズンのうま味が輝き、アイスのまろやかさが引きだされるのですから人気があるのもうなずけます。ラム酒は近代世界のはじまりを物語るシンボルかも知れません。

◎世界史の磁場が大西洋に出現

ラム酒の原料は、実はサトウキビ。綿製品・タバコ・コーヒーも、ラム酒同様、ヨーロッパの衣食の日常を大きく変えました。これを**生活革命**といいます。

こうした製品の原料は、カリブ海やその周辺のプランテーション栽培によるものです。労働力はアフリカから運ばれた黒人奴隷。アフリカへの見返りは銃や生活品。このつながりは、**大西洋三角貿易**とよばれ、イギリス近代工業社会に繁栄と発展をもたらしました。

特に18世紀後半の**産業革命**の有力な資金源のひとつが、**奴隷貿易**でした。ラム酒は、大西洋三角貿易という世界史の大きな流れのなかの産物なのです。

◎大西洋の荒波は国民主義運動を誘う

同じときイギリス本国で、北米13植民地への課税政策が強められます。英仏の第2次百年戦争（１６８９～１８１５年）で出費した、財政の埋め合わせのためです。

これが**アメリカ独立革命**（１７７５～８３年）を誘い出すと、独立を支援したフランスも、未曽有の財政危機に直面。事態は、なんと**フランス革命**へとつながっていきます。財政問題だけでなく、身分制をはじめ、昔ながらの旧制度をぶっ壊して、国民が国家の主人公となるときがやって来たのです。

これは**ナショナリズム**（**国民主義・民族主義・国家主義**）とよばれ、**ナポレオンの時代**（１７９９～１８１４年）に世界に広まります。しかし君主政がヨーロッパの正統な歴史だというウィーン**体制**（１８１５～４８年）がヨーロッパの国際合意になると、国民主義運動も激しさを増します。

カリブ海で黒人奴隷が**ハイチ独立**を成し遂げると、ラテンアメリカ諸国も独立に成功します。１８４８年にはヨーロッパ中が革命の波にもまれ、ドイツやイタリアでは統一の光が見えてきます。

そして「**世界の工場**」となったヴィクトリア朝のイギリスを先頭に、西欧はアジアに勢力圏を広げました。

この動きは不凍港を求めて南下するロシアとの利害関係の対立を生み、それは、東地中海で衝突へとつながります。これは**東方問題**とよばれ、後の世界大戦の火種となるものでした。

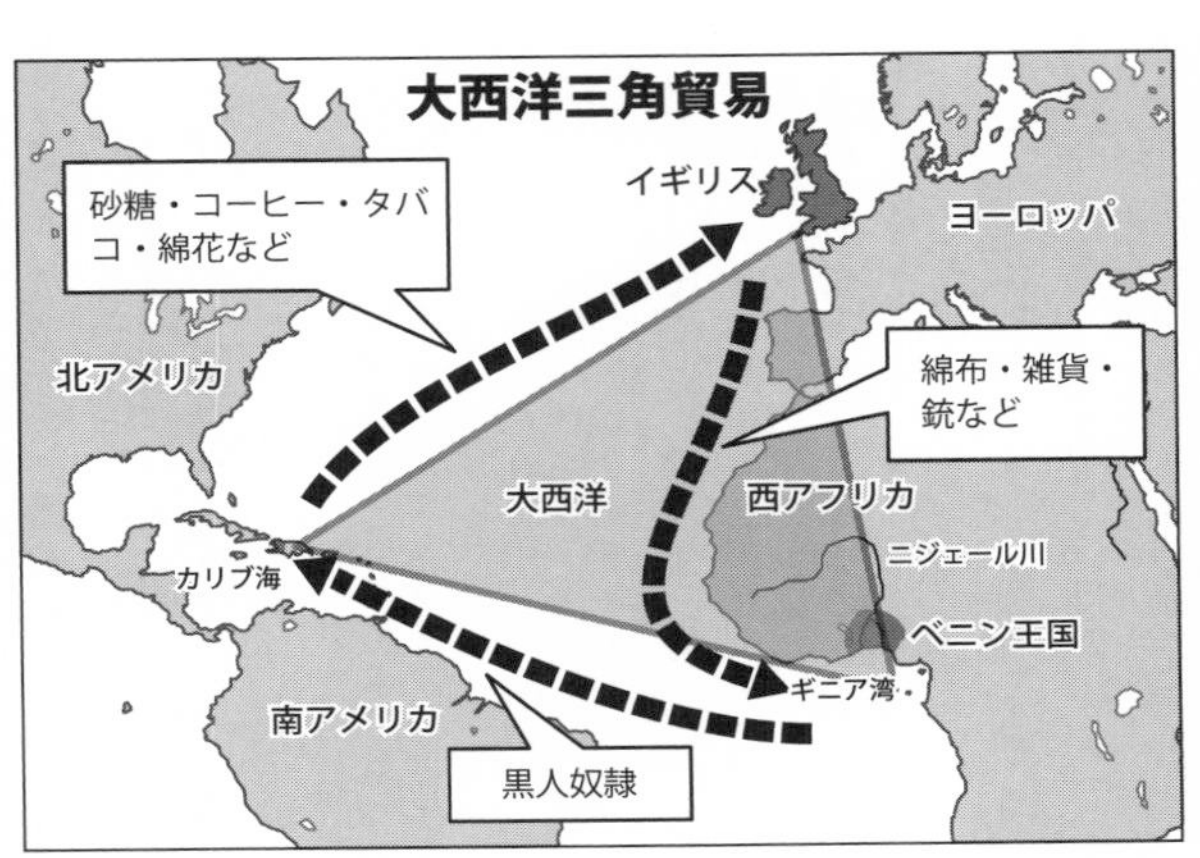

ワットの蒸気機関が起こした動力革命

ニューコメンの蒸気機関

改良

●熱効率を2倍以上アップ
●石炭使用量を大幅削減

さらに

ピストンの上下運動を
回転運動に変換する
ことに成功

ジェームズ・ワット
(1736〜1819年)

ワットの蒸気機関

蒸気機関の完成、各種機械の動力源に

諸国家がひしめくウィーン会議後のイタリア

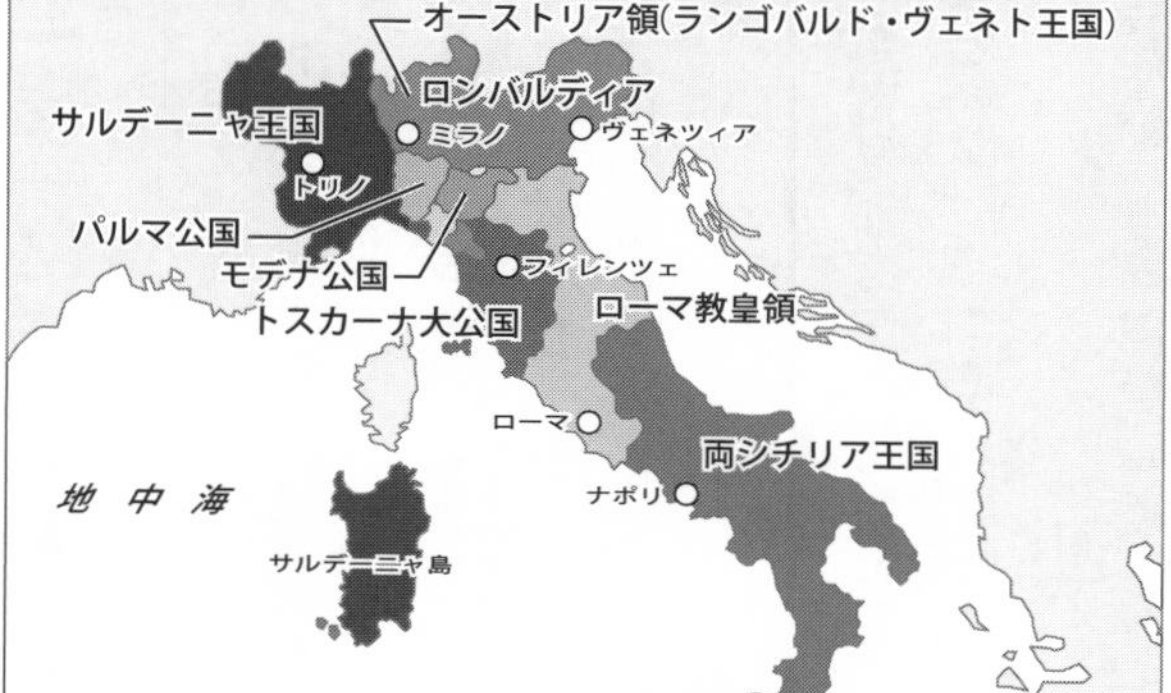

オーストリア領(ランゴバルド・ヴェネト王国)
ロンバルディア
ミラノ
ヴェネツィア
サルデーニャ王国
トリノ
パルマ公国
モデナ公国
フィレンツェ
トスカーナ大公国
ローマ教皇領
ローマ
両シチリア王国
ナポリ
地中海
サルデーニャ島
シチリア島

30 イギリスを「世界の工場」に押し上げた 産業革命

馬がヒトを食う――なんと恐ろしい。ここは18世紀のイギリス。実は馬を飼うには、ヒトの食い扶持(ぶち)を馬に譲らないと維持できないことが分かったのです。馬は不可欠な動力源です。が、ヒトが生き残るには、別の動力源を開発しないと！……それに応えたのが、ワットが発明した蒸気機関でした。まさに**動力革命**。このおかげで汽船・汽車、紡績工業の機械化も実現し、19世紀イギリスは「世界の工場」へと発展しました。

イギリス産業革命の源泉に大西洋三角貿易があった。これについて北米南東岸と西アフリカの事情をふまえながら、具体的に説明しなさい。

◎ワットの発明は、蒸気力の上下運動を回転運動（＝**蒸気機関**）に変えたことです。**産**

◉産業革命　ヒントとポイント

大西洋三角貿易の発展により工業社会が到来

業革命は、蒸気機関のたまもの。そのはじまりは、イギリス一国ではなく、大西洋三角貿易というグローバルな形で進みました。

◎18世紀イギリスは、**黒人奴隷貿易**で隆盛を見ました。黒人奴隷を獲得するため、日常の生活品や**銃**を西アフリカに輸出したのです。特にこの地で欠かせないのは、奴隷狩りのための銃でした。その結果、多くの黒人が捕らえられ、奴隷として売られたのです。

◎黒人奴隷は西アフリカからカリブ海に運ばれます。そして、ここからスペインやイギリスの植民地に送られました。カリブ海では**サトウキビ**が、北米南東岸では**綿花**が栽培され、アメリカでつくられた工業原料はイギリスに輸出され、製品化されます。これが**大西洋三角貿易**です。

◎奴隷貿易によってイギリスの港街**リヴァプール**は栄え、その利益は銀行にため込まれ、産業革命の資金に使われました。リヴァプール商人は、綿製品の大量生産に期待したのです。ワットの蒸気機関は、そうした18世紀の経済環境のなかで誕生しました。

◎1789年、蒸気機関を取り付けたクロンプトンの**ミュール紡績機**が活躍をはじめると、大量の綿糸がつくられるようになり、たくさんの織布が市場に出まわるようになりました。

Keyword **銃、黒人奴隷、綿花**

西アフリカに生活品・銃が輸出され、アメリカには黒人奴隷が供給される。農園労働で彼らが栽培した綿花などは、イギリスに搬送されて製品化され、産業革命をもたらした。（79字）

知っておきたいWord

ベニン王国
◉18世紀、イギリスから銃を買い入れ、奴隷狩りで利益を得た西アフリカの黒人王国です。

ニューコメン
◉1708年、蒸気を利用して地下水をくみ上げる揚水機を発明した人物です。蒸気力のピストン運動を利用した最初の揚水機ですが、蒸気機関としての普遍性はなく、それはワットによってなされました。

クロンプトン
◉1779年、既存のジェニー紡績機と水力紡績機の良いところをとって、ミュール紡績機を考案。後に、動力源が蒸気機関に切り替えられ、マンチェスターの紡績工場の大量生産体制を実現させました。

トレヴィシック
◉1804年、蒸気機関車を発明し、レールに走らせることを考案。鉄道営業は1830年、**スティーヴンソン**による改良を待つことになります。

31 イギリス本国の重商主義が招いたアメリカ独立革命

18世紀の世界戦争（P.156参照）で、北アメリカ大陸の東半部はイギリス領となりました。なかでも250万の人口を擁する北米13植民地は、イギリスにとって、半ば強制的に商品を買わせられるオイシイ商品市場でした。13植民地の自治を抑え込むような重商主義の下にあったのです。これに反旗を翻して**アメリカ独立革命**（1775～83年）は起こりました。そのときヨーロッパは、どのような動きを見せたのでしょう……？

アメリカ独立革命に対してヨーロッパは、どのような動きをとったのか、イギリスとの関係を念頭に置いて、具体的に説明しなさい。

◎**重商主義**は、「貿易の利益が国富につながる。ならば、輸出を強めよう」というものですから、北米13植民地に工業の自由は認めません。「本国の利益のために植民地はある。北米は綿花づくりに専念して、綿製品はイギリスから買いなさい」──こんな具合です。

◎アメリカ独立革命のきっかけは、1773年の**ボストン茶会事件**でした。イギリスは工業製品どころか、茶の自由販売さえ禁止したのです。これに反発した連中は、ボストン港に停泊していた本国の東インド会社船を襲い、茶箱を次々と海中に投げ捨てました。

◎ところで独立革命成功の立役者は、雷が電気であることを証明した、あの**フランクリン**ですが、彼はこの間、アメリカにいませんでした。アメリカ大使に任ぜられ、パリに拠点をかまえて各地で独立の支援を訴えていたのです。

◎その甲斐もあって、フランス、スペイン、オランダが次々とイギリスに宣戦。ロシアのエカチェリーナ2世も、**武装中立同盟**を結成してイギリスに対抗します。啓蒙(けいもう)

◎アメリカ独立革命　ヒントとポイント

イギリスの孤立がアメリカ独立を有利にした

思想家がペンをとって檄（げき）を飛ばすと、**義勇軍**が海を渡って行きました。そのなかに、後にフランス革命で活躍する20歳のラ・ファイエットの姿もありました。ヨーロッパがアメリカ独立の支援体制をとったことが、大きな勝因となったのです。

◎イギリスが孤立したのは、18世紀の世界戦争で独り勝ちし、国際政治の原理である**勢力均衡**を壊したことからといえます。ヨーロッパはその是正に動いたのです。

Keyword **フランクリン、義勇軍、勢力均衡**

フランクリンの支援要請を受けると、フランスやスペインは国際政治の勢力均衡を回復するため、イギリスに宣戦。ロシアも武装中立同盟を結成して対抗し、義勇軍が参戦した。（80字）

知っておきたいWord

ボストン茶会事件	◉茶会は「茶箱を積んだ東インド会社の船を襲う人々」＝Tea Partyといいます。これを「茶会」と訳したのでしょう。京大西洋史辞典編纂会の『新編　西洋史辞典 増補改訂版』（東京創元社）では、茶会事件ではなく、茶党事件といっています。こっちのほうが、意味が伝わりますね。
武装中立同盟	◉イギリスは、アメリカ独立に利する者は、貿易の商船であっても許さず捕まえました。同盟はこれに反発するロシアを盟主に結成されたのです。
アメリカ連合規約	◉1777年発布。アメリカは13の「**主権国家連合（the Unite States）**」により建国。そのことは、中央政府（連邦政府）の権限から分かります。貨幣発行・外交・国防の3権を認められ、課税は各州の裁量権です。
勢力均衡	◉特定の国が断トツに有利な勢力図は好ましくないとする国際政治論です。

32 近代市民社会の誕生を告げた フランス革命

アメリカ独立革命で名誉を得たフランスですが、台所は火の車。18世紀は戦争という、とてつもない金食いが多く、財政はもう「死に体」状態。貴族にも税を負担してもらおう！こういう声が高まるなかで、革命は動きだしました。「**自由・平等・友愛**」を柱とする**人権宣言**も決議されます。ところが事態は、外国の干渉を受けて、**フランス革命戦争**（1792〜99年）に……いったい、なにがあったのでしょう？

フランス革命が共和政に転じた事情について、義勇軍の行動を念頭に置いて、具体的に説明しなさい。

◎1789年6月20日、第三身分（平民）主導の憲法制定国民議会が発足。ここにフ

◎フランス革命　ヒントとポイント

革命の目的は立憲王政から共和政へと移行

ランス革命の幕は切って落とされます。教科書にある「**球戯場の誓い**」という項目です。国王に絶対的な権力を認めてきた政治は「NO&STOP!」となります。

◎1791年9月、憲法誕生。政治は国民が選んだ議会（立法）と**国王ルイ16世**（行政）の二人三脚でやろうということになりました。**立憲王政**といいます。

◎ところが憲法制定前夜、ルイ16世は一家ともどもフランス脱出を強行し、失敗。これは大失策でした。なぜかって、国民の反王室感情を高めてしまったからです。すると王妃マリ・アントワネットの祖国オーストリア（墺）がプロイセン（普）と共同声明（ピルニッツ宣言）を発表しました――「革命に介入する用意がある」と。

◎1792年4月、革命政府の側からオーストリアに宣戦し、フランス革命戦争がはじまります。フランスは国民軍のもとで、ドイツ連合（墺・普）軍と戦いますが、連戦連敗を余儀なくされました。

◎ドイツ連合軍に負けたら「自由・平等・友愛」を謳（うた）った革命は踏みつぶされ、白紙に戻される。この危機に立ち上がったのが共和政樹立を叫ぶ義勇軍でした。「**ラ・マルセイエーズ**」を歌いながらパリに集結した軍隊は、ルイ16世を逮捕し（**8月10日事件**）、**ヴァルミーの戦い**に勝利し、革命の利益を守ったのです。

Keyword **8月10日事件、第一共和政、ヴァルミーの戦い**

全国からパリに集まった義勇軍が8月10日事件で国王を逮捕すると、男性普通選挙による第一共和政が発足した。また、ヴァルミーの戦いでは外国の干渉を排撃し革命を救った。（80字）

知っておきたいWord

近代市民社会

◉フランス革命が目ざしたもの。**資本主義**を原理とする**自由社会**です。「市民」とは商工業者、ブルジョワジーのこと。そうした階層が中心となって引っぱる革命や社会を「**近代市民革命**」「**近代市民社会**」といいます。

国民公会

◉1792年9月開会。フランス史上初の共和政議会（**第一共和政**）。最初の決議は王政廃止。ルイ16世は、翌年1月、処刑されました。

メートル法

◉1790年の国民議会でタレーランが計量単位（長さ＝メートルと重さ＝キログラム）の統一を提案。99年に基準器が完成し19世紀末に世界化。

バブーフの陰謀

◉バブーフは1796年、コミュニス（ラテン語）＝「完全な平等」社会の樹立を目ざして武装蜂起を企図した思想家。この「コミュニス」が共産主義と訳されることになります。

33 革命の混乱を収拾し、ヨーロッパを制したナポレオン

フランス革命は国王の処刑死をきっかけに、ヨーロッパ中を敵にまわします。〈孤立するフランス、危うし！〉。そういう場面を、だれもが思い描いたでしょう。そのとき救世主のごとく現われたのが、**ナポレオン・ボナパルト**。「革命の守り手」は、徹底して攻めに出て、ヨーロッパ大陸を制します。最後は**ロシア遠征**。ですが、これが裏目に出て、15年に及ぶナポレオン劇場はその幕を下ろすことになるのです。

ナポレオン1世が行なったロシア遠征について、その原因と結果を具体的に説明しなさい。

◎フランスは、ヴァルミーの戦いに劇的な勝利を収めると、破竹の勢いでベルギーも

◎ナポレオン　ヒントとポイント

大陸封鎖令はナポレオンの覇権をつぶした

占領。「このままではオランダも危ない……」。こう警戒したのが、イギリス首相**ピット**でした。１７９３年２月、彼の下でフランス革命に対抗する大同盟が結成されます。

◎陸上では連戦連勝のナポレオン。それがネルソン提督の率いるイギリス海軍には勝てません。１７９８年、エジプトのアブキール湾の海戦もそうでした。このとき危機感を強くしたナポレオンは、クーデタで統領政府（１７９９〜１８０４年）を立ち上げ、政治権力も掌中に収めます。

◎加えて１８０１年、ナポレオンはローマ教皇とコンコルダート（宗教協約）を結んで、カトリックを保護。教会財産の国有化（１７８９年）以来、フランスと教皇は断絶状態でしたから、この両者の和解は国民を喜ばせるものとなりました。

◎国内統治体制を整備したナポレオンは、１８０４年、ヨーロッパを従える皇帝に即位。そして**対仏大同盟**を解体に追い込み、１８０６年に**大陸封鎖令**を発布。これはイギリスに打撃を与えるため、イギリスと大陸諸国の貿易は禁止するというものでした。

◎1812年、ナポレオンは、大陸封鎖令に違反したロシアに対して遠征をかけます。ですが、これが大失敗。退却途中の**ライプツィヒの戦い**（1813年）では、ヨーロッパ諸国連合軍に敗れ、翌年、ついにナポレオン政権は崩壊を見ました。

A

Keyword **大陸封鎖令、ロシア遠征、ライプツィヒの戦い**

ロシアが大陸封鎖令に違反してイギリスと密貿易を行なったため、ナポレオンはロシア遠征を決定した。だが失敗。退却途中ライプツィヒの戦いにも敗れ、政権は崩壊した。（78字）

知っておきたいWord

ナポレオン皇帝即位

◉ナポレオンは1804年、帝位に就きナポレオン1世に。ルイ14世といった絶対君主と同じでは、といわれますが、王権神授説を盾にとって絶対王政を正当化したのとは訳が違います。国民主権を踏まえた国民投票という政治制度を使ったのですから皇帝即位は国民の意思であるということです。

神聖ローマ帝国解体

◉ナポレオン1世は、1805年、アウステルリッツの戦いでオーストリアとロシアの連合軍を破り、これで実質上、ヨーロッパの支配は確定的になりました。この結果ドイツ内の多くの国々が神聖ローマ帝国を抜けてナポレオンの**ライン同盟**に参加しました。神聖ローマ帝国は消滅したのです。

宮廷画家ダヴィド

◉ナポレオンを描いた絵画は数多く、なかでもダヴィドが描いた「サン・ベルナール峠越えのボナパルト」「ナポレオンの戴冠式」は有名です。こうした肖像画は、彼の威厳を知らしめるため内外の宮殿に飾られました。

34 フランス革命前のヨーロッパへの復帰。正統主義を掲げたウィーン体制

フランス革命以来、ヨーロッパの大混乱は続きました。ナポレオン政権が崩れると、**ウィーン体制**（１８１５～４８年）が成立します。これを**神聖同盟**といいます。ヨーロッパは昔から君主政と相場は決まっている、国民主義なんかは認めない、というわけです。しかし自由と独立、民主主義を求める声が各地で高まると、フランス二月革命をきっかけに変革のドミノ倒し現象〝**諸国民の春**〟が起こり、ウィーン体制は崩れました。

1848年、フランスに起こった二月革命の原因と、同年4月までの政治展開について、具体的に説明しなさい。

◎フランス革命が生みだしたナショナリズム（国民主義・民族主義・国家主義）は、地

◎ウィーン体制　ヒントとポイント

保守主義は"諸国民の春"によって崩壊した

を這うように、しかも確実なスピードをもって世界に広がりました。

◎具体的には、1817年、ドイツ統一を目ざす**ブルシェンシャフト**や1820年代初めのカルボナリ（炭焼党）による**イタリア統一運動**、1820年のスペイン立憲革命などがそうです。ポーランド人やハンガリー人も独立運動に立ち上がります。ロシアでも1825年、立憲政治を訴える**デカブリストの乱**が起こりました。

◎1830年、フランスで自由主義を求めて**七月革命**が起こると、翌月、ベルギーがオランダの支配を破って独立に成功。神聖同盟はからくもほころびを繕いましたが、1848年、ナショナリズムの怒濤の嵐が革命となって全ヨーロッパを襲うことになります。

◎その起こりはフランスから。1848年2月、パリで**改革宴会**が予定されました。市民主導の参政権要求集会です。政府はこれを弾圧しましたが、失業者たちが市民側に合流し、事態は**二月革命**へ発展しました。これによって**社会主義者**も参加する臨時政府が立ち上げられました。そして四月普通選挙で、社会主義派の候補者は惨敗し、正式に資本家主導の**第二共和政**が成立します。

◎二月革命はドイツの**三月革命**に影響を与え、ハンガリーでも独立宣言が出されましたが、結果はことごとく失敗。それでも、ウィーン体制の崩壊は避けられませんでした。

Keyword **改革宴会、社会主義者、第二共和政**

改革宴会が政府に弾圧されたため。しかし失業者の蜂起で革命は成功し、社会主義者を含む臨時政府が発足。4月、選挙で保守勢力が勝利、資本家主導の第二共和政が成立した。(80字)

知っておきたいWord

正統主義

◉**ウィーン会議**（1814～15年）の基本合意。君主政とキリスト教はヨーロッパの伝統である、とフランス代表**タレーラン**が提唱しました。ウィーン体制とは、フランス革命以前の時間に歴史を戻すことといえます。

ブルシェンシャフト

◉ドイツ学生同盟の統一運動です。1817年、ヴァルトブルク祝典を開催。宗教改革300周年でルターを讃え、ドイツ統一運動の起点に。

ハンガリー

◉1000年に誕生したマジャール人国家です。16世紀、オスマン帝国に支配されましたが、1699年にオーストリアに移譲。1849年、コシュートの指導の下で独立を宣言。しかしロシアにつぶされました。

メッテルニヒ

◉ウィーン体制の司令塔となったオーストリアの政治家（外相・首相歴任）。1848年のドイツ三月革命で亡命しウィーン体制は崩壊へ向かいます。

35 自由主義改革でイギリス繁栄の絶頂期をもたらしたヴィクトリア朝

ウィーン体制の時代、イギリスはヴィクトリア朝（1837〜1901年）の繁栄期を迎えます。**自由主義改革**が進み、1840年代には「**世界の工場**」という冠を得て、**自由貿易主義**が推し進められます。海外には植民地や自治領をたくさん所有し、工業と金融では世界の頂点に立って国際経済を仕切り、国際政治でも世界をリードし、「**パクス・ブリタニカ**」（イギリスの平和）とよばれる一時代を築きました。

イギリス東インド会社の1830年代と1850年代の事情について、具体的に説明しなさい。

◎ヴィクトリア女王（ヴィクトリア朝）が王位に就いたとき、イギリスは自由主義改

◉イギリスの繁栄　ヒントとポイント

圧倒的経済力がもたらしたパクス・ブリタニカ

革の真っただ中にありました。きっかけは1832年の**第1回選挙法改正**。これによって1833年、改革派〈産業資本家〈工場経営者〉代表〉主導の議会が開かれます。

◎すぐさま決められたのが、奴隷制の廃止と東インド会社の商業活動停止〈実施は共に1834年〉。自由主義改革の旗印となる決議です。このため東インド会社は、インド植民地の統治機関となりました。

◎同時進行したのが、自由貿易主義。鉄道・汽船はその重要なインフラでした。1830年、史上初の鉄道営業区間は、イギリス最大の貿易港リヴァプール～工業都市マンチェスターです。イギリスの繁栄は、輸出と生産の結びつきにありました。

◎「世界の工場」となったヴィクトリア朝の繁栄を象徴したのは、1851年の**ロンドン万国博覧会**です。このとき旅行会社を立ち上げたのがトマス・クック。団体旅行の第1号は万博ツアーでした。ロンドンにロイター通信社がオープンしたのも、このとき。パクス・ブリタニカは、近代文化と情報産業の世界化も促したのです。

◎ヴィクトリア朝の繁栄は、インド植民地あってのこと。ところがイギリスを揺るがす事態が……１８５７年、**インド大反乱**です。この結果、東インド会社は翌年解散。１８７７年、ヴィクトリア女王を皇帝とする英領インド帝国が誕生する運びとなりました。

Keyword **自由主義改革、インド統治機関、インド大反乱**

自由主義改革を背景に１８３４年、東インド会社は商業活動を停止されインド統治機関となった。１８５７年、インド大反乱が起こると失政の責任を問われ解散に追い込まれた。（80字）

知っておきたいWord

ヴィクトリア朝

◉ヴィクトリア女王の時代を指します。世界に広がる大帝国といった様子から、しばしばヴィクトリア朝とよばれます。ドイツ皇帝ヴィルヘルム２世やロシア皇帝ニコライ２世の皇后は、女王の孫たちです。

奴隷制の廃止

◉１８３４年、奴隷制が廃止されると、インドから多くの年季労働者がカリブ海に向かいました。これが奴隷労働力に替わる**クーリー**です。

ロイター通信

◉１８５１年、ロンドンに設立された情報（ニュース）集配事業所。海底電信ケーブルを使って世界の情報を集め、加工して配信しました。１８５８年にインド大反乱をいち早く報じたのもロイター通信でした。

第2回選挙法改正

◉１８６７年、都市労働者に参政権が、８４年の第３回改正で農村・鉱山労働者にも認められます。成人男子のほとんど、約４４０万人に参政権が。

36 民族と領土の統一への情熱をたぎらせるイタリアとドイツ

19世紀のイタリアはバラバラ。小王国や都市共和国が散らばった地域で、まとまりはありません。このままでは大国の餌食になってしまうのでは……そんな危機感が募るばかり。同じときドイツでも、統一の主導権をめぐって、プロイセンとオーストリアがしのぎを削っていました。そしてついに、互いに一念発起したことが実を結び、イタリアは１８６１年、ドイツは１８７１年、それぞれ統一を戦争によって成就しました。

プロイセン王国宰相ビスマルクが主導したドイツ統一戦争の経緯について、具体的に説明しなさい。

◎ナポレオン戦争後のイタリア半島は、サルデーニャ王国ありの、オーストリア領ロ

◎ナショナリズム　ヒントとポイント

イタリアとドイツは戦争により統一へ

ンバルディア、同領ヴェネツィアありの、それにローマ教皇領と両シチリア王国もありました。ほかにもまだまだ。とにかく、とんでもなくバラけてました。

◎1859年、**イタリア統一戦争**で、サルデーニャ王国はロンバルディアを併合します。すると翌年、統一運動に身を投じてきた**ガリバルディ**が両シチリア王国を占領し、サルデーニャ王のヴィットーリオ・エマヌエーレ2世に献上。こうして1861年、**イタリア王国**は、ヴェネツィアとローマ教皇領を除いて誕生したのです。

◎ナポレオンにつぶされた神聖ローマ帝国は復活できず（P.181参照）、「ドイツ連邦」となりました。35君主国と4自由市からなる主権国家連合です。連邦の一国だったプロイセン王国の宰相**ビスマルク**は、1862年、議会でドイツ統一を本気でやるなら、**鉄**（武器）と**血**（兵士）によってのみ解決されると演説します。

◎強気のビスマルクは、1866年、プロイセン・オーストリア戦争を仕掛けて、**シュレスヴィヒ・ホルシュタイン**を併合します。プロイセン・フランス戦争では、ライン川左岸の**アルザス**と**ロレーヌ**を獲得し、1871年、**ドイツ帝国**発足のときを迎えました。

◎イタリアはビスマルク外交と協調して、1866年にヴェネツィアを、1870年にはローマ教皇領を併合します。それでも併合できない地域は「未回収のイタリア」とよばれました。

A

Keyword **鉄血政策、シュレスヴィヒ・ホルシュタイン、アルザスとロレーヌ**

鉄血政策に沿って、プロイセン・オーストリア戦争を起こしてシュレスヴィヒ・ホルシュタインを獲得した。続くプロイセン・フランス戦争ではアルザスとロレーヌを併合した。（80字）

知っておきたいWord

サルデーニャ王国

◉首都トリノ。1720〜1861年に存続した王国で、イタリア統一の軸となりました。宰相カヴールは、1858年、プロンビエール密約でナポレオン3世の支援を取り付け、翌年イタリア統一戦争を開始しました。

プロイセン王国

◉1701〜1918年存続の王国です。1871年、プロイセンを盟主に22邦で立ち上げられたドイツ帝国の3分の2がプロイセン領でした。

ピザ

◉イタリア第2代王妃がピザを食べた！ 北部がイタリアの中心といわれた時代に、南部ナポリから広まった庶民の料理を王妃が食べたのです。彼女の名はマルゲリータ。国家の一体感を感じさせる場面となりました。

アウスグライヒ

◉「妥協を」の意。1867年、ドイツ統一に敗れたオーストリアはハンガリーの自治を認めて連邦体制をつくり、国家の威厳を保とうとしました。

37 19世紀ラテンアメリカ諸国の独立と東方問題

19世紀は**国民主義**の時代。ラテンアメリカ諸国も独立のときを迎えます。これに貢献したのは、イギリスでした。独立をつぶす気なら大西洋での海上戦争も辞さない。そんな強気さえ見せます。一方、地中海に出たがるロシアに対しても容赦しません。**クリミア戦争**（1853～56年）では、完膚なきまでにたたきつぶします。こうした地中海東岸をめぐる国際政治は、東方問題とよばれました。

Q **19世紀半ばに起こったクリミア戦争は、ヨーロッパを巻き込む一大戦争となった。この事情について、具体的に説明しなさい。**

◎ラテンアメリカ諸国の独立は、現地の大地主や農園経営者がプッシュしました。彼

◉東方問題　ヒントとポイント

東方問題の鍵は自由貿易推進とインド航路掌握

らはイギリスから工業製品を買い、農園作物を輸出したいと考え、その利害はイギリスの自由貿易論と合致しました。これをきっかけにコーヒー栽培も進展します。

◎同じとき、地中海東岸でギリシア独立戦争（1821～29年）が勃発。これを支援したのが、不凍港を求めて**南下政策**を進めるロシアでした。イギリス・フランスも参戦、露・英・仏VSオスマン帝国という構図のなかで、ギリシア独立は成功します。

◎その際、オスマン帝国を助けたのが、エジプト州知事のムハンマド・アリーでした。彼は協力の代償にシリア領有権を要求。オスマン帝国がこれを拒否したことから、二度にわたるエジプト・トルコ戦争（1831～33、39～40年）が起こりました。

◎最終的にはシリアを除いて、エジプト独立は認められました。この戦争でもイギリス・フランス・ロシアが、共同と敵対の関係を見せました。

◎ロシアはオスマン帝国に揺さぶりをかけながら、地中海に出ようとします。聖地イェルサレム管理権問題からロシアとオスマン帝国の間でクリミア戦争が起こると、英・仏・サルデーニャ3国は、ロシアの地中海進出をくい止めるために参戦します。以後バルカン半島の民族運動も高揚し、このエリアが東洋への航路となることから、列国の利害がぶつかりあいました。これを「**東方問題**」といいます。

Keyword **ロシア、地中海東岸、イギリス**

ロシアが地中海東岸への進出を図ってオスマン帝国と開戦すると、この地を東洋航路の要衝と見るイギリス・フランス・サルデーニャはロシアに対抗しオスマン帝国を支援した。（80字）

知っておきたいWord

クリオーリョ
◉ラテンアメリカ生まれの白人です。大農園経営者や商人が多く、子弟たちはスペイン本国留学後、帰国して家を継ぎ、白人の血統を保ちます。

カニング
◉イギリスの政治家。ラテンアメリカ諸国をイギリスの商品市場に、と期待して独立を支持しました。同時期、ギリシアの独立も支援し、ロシアの地中海進出を拒みます。自由貿易主義の流れをつくった人物でした。

ドラクロワ
◉フランスのロマン主義派の画家です。ギリシア独立戦争を題材に1824年、「**キオス島の虐殺**」を描いて、自らの情熱を表しました。

東洋航路
◉地中海東岸と紅海を結んで航行を便利にしたのが、1869年開通の**スエズ運河**です。建設者はフランス外交官のレセップス。イギリスは1875年、エジプト株を買い上げ、この地に大きな影響力を持つに至ります。

第7章

欧米列強がアジア進出を本格化させ植民地化する

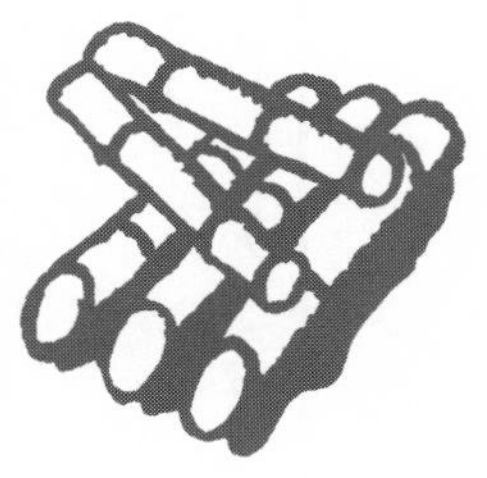

欧米列強のアジア進出で世界は、日本は、どう変わったのか？

時は１８５４年。日本開国。

このとき、はるか遠くロシアで、文豪トルストイが**クリミア戦争**（１８５３〜５６年）に従軍。ロシアに対抗してイギリス軍が参戦すると、ナイティンゲールがトルコに派遣され、兵舎病院の改革を訴えます。

大西洋の向こうのアメリカでは、共和党が結成され、リンカンが指導者に。

そしてアジアは――。

◎熱帯アジアは作物栽培がオイシイ

アジアは欧米列強の植民地、あるいは、植民地同然の状態になります。独立国の体をなしたのは、**日本とラタナコーシン（チャクリ）朝タイ王国ぐらい**。この間、インドを獲得したイギリスは、清国への航路を押さえるため、マラッカ海峡を取ります。

ジャワ島を占領したオランダは、この地の気候が本国に富をもたらすと見て、**強制栽培制度**を取り入れました。ヨーロッパで好まれるコーヒーやサトウキビを、現地民にどんどん作らせたのです。

イギリスも、これに倣って、マレー半島南半部でゴム栽培を、フランスはベトナムで、米作プランテーションを行ないました。

◎日本・清国・朝鮮・琉球はどうなっているのか

東アジアでは、内憂外患が清国を襲います。**アヘン戦争**・**アロー戦争**に負け、イギリスに香港島・九竜半島南部を、ロシアには沿海州を割譲。しかも国内では、**太平天国の乱**（１８５１～６４年）が起こり、長江以南は反乱軍の手に落ちます。

徳川幕府の上海貿易船・千歳丸（１８６２年）が来航したのは、そのさなかのことでした。そこで使節団が目にしたものは、中国人が列強の使用人のように、こき使われている姿。これに衝撃をうけた日本は、**明治維新**（１８６８年）を機に近代国家を立ち上げようとします。

そのとき朝鮮は、依然、清国の属国に甘んじ、近代化に背を向ける始末。琉球（りゅうきゅう）は、自由貿易の荒波が東アジアに押し寄せたことで危機感を強めます。新規まき直しを、近代化を叫ぶ日本の**琉球処分**（琉球併合・1879年）に期待します。

清国も近代改革を推し進めようとしますが、うまくいきません。清国に期待は持てない。清国を倒すしかない。

こう決意した中国人グループが**東京**に集まります。その中心となったのが、**孫文**（そんぶん）でした。300年に及んだ満州（まんしゅう）族の支配は終わりを見ます。

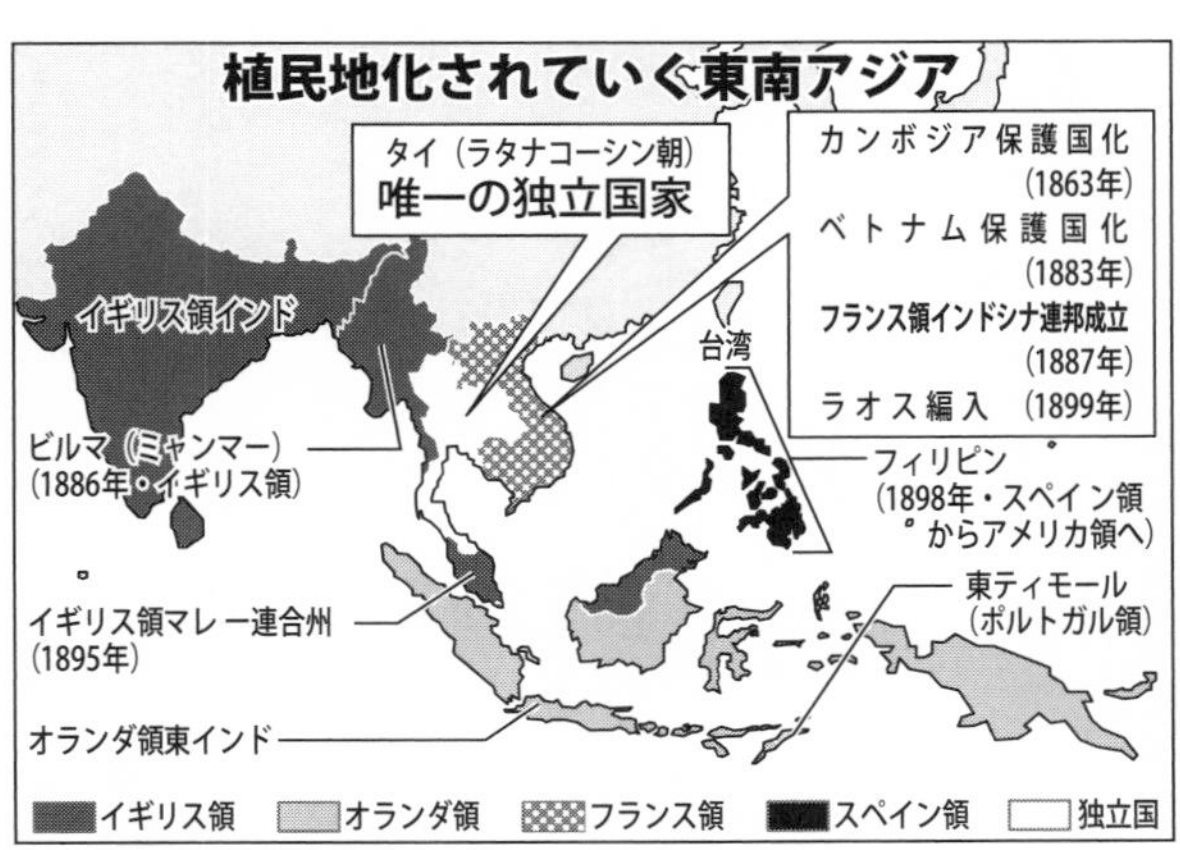

近代化をめざした清国の改革運動

アヘン戦争（1840～42年）・
アロー戦争（1856～60年）**に敗北**

➡ ・インフレと重税
・太平天国の乱（1851～64年）
・清国の無力が露呈

洋務運動（1860年代～90年代前半）
中国の伝統文化・制度を保持したまま、西洋の機械・軍事技術を取り入れる富国強兵策。「中体西用」

➡ 清仏戦争（1884～85年）と日清戦争（1894～95年）に敗北し、挫折

変法運動（1895～98年）
中国の伝統文化・制度を変革し、日本の明治維新を手本に立憲君主政と議会制の樹立をめざ す

➡ 西太后を中心とした保守派のクーデタにより挫折（戊戌（ぼじゅつ）の政変）

光緒（こうしょ）新政（1901～08年）
幅広い分野で国政改革を行ない、中央集権的な近代国家建設をめざす。清朝の延命策

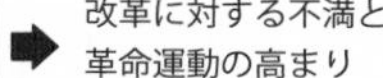
➡ 改革に対する不満と革命運動の高まり

辛亥（しんがい）革命
（1911～12年）

38 投資と製品・原料市場となった インド・東南アジア

自由貿易主義は近代工業社会を発展させましたが、その多くは植民地化された海外市場とつながってのことでした。欧米社会は絹・綿製品であふれ、街にはカフェや居酒屋が軒を並べます。テーブルを飾るコーヒーや砂糖、ラム酒が人々を誘います。大衆社会の成長は、熱帯地域の植民地経営と深く関わっていました。そのターゲットとなったのが、インドや東南アジアでした。

19世紀オランダによるジャワ島の経営事情について、具体的に説明しなさい。

◎19世紀イギリスの繁栄は「ふたりの息子」によってもたらされた。そんなたとえが

◎インド・東南アジア　ヒントとポイント

植民地支配により欧米社会は発展した

あります。長男は富をもたらすインド植民地──綿花栽培と綿製品市場、銀による徴税、市場をつなぎ物産を運ぶインド鉄道への投資。次男はインド航路のスエズ運河です。

◎1895年、イギリスは東南アジアでマレー連合州を支配下に置き、マレー半島でスズを獲得します。オランダも、スマトラ島でスズ鉱山の経営に邁進（まいしん）。スズはさびにくいため、鉄板のメッキに使われました。これがブリキです。

◎フランスも1887年、ベトナム・カンボジア・ラオスをまとめ上げて、フランス領インドシナ連邦を建てます。「文明の使命」をかかげ、教育・医療制度の拡充をはじめ近代改革に努めました。一方、石炭採掘と米作プランテーションを進め、植民地経済から多くの富を手にしました。

◎アメリカ・スペイン（米西）戦争に勝ったアメリカは、中国進出に期待してフィリピンを獲得。

◎オランダは18世紀以来の戦争続きで、財政は破綻。１８３０年にベルギー独立革命を許してしまうほどに弱体化していました。オランダは起死回生をかけて、同年ジャワ島を占領すると、**コーヒー・サトウキビ**の**強制栽培制度**をとりました。これが当たって、オランダの財政は再建どころか黒字に転化。東南アジアの植民地経営メソッドを他国に教えるかたちとなりました。

Keyword **コーヒー、強制栽培制度、東南アジア植民地経営の模範**

18世紀以来の国際戦争で財政が破綻すると、その再建のためコーヒー・サトウキビの強制栽培制度が展開された。以後、国富は増大し、東南アジア植民地経営の模範とされた。（79字）

知っておきたいWord

ディズレーリ
◉1875年、エジプトのスエズ運河株を買収したイギリス保守党の首相。

オランダの財政破綻
◉オランダはライン川の河口にあり、ドイツとフランスに挟まれた格好になります。独仏両国が戦争を起こすと、その影響から逃れることはできません。国際情勢がオランダに戦争参加を強いることもたびたびでした。18世紀末にはナポレオンに占領されました。

ファン・デン・ボス
◉オランダ領東インド総督。ジャワ戦争（1825～30年）で現地の抵抗を抑え込み、1830年、ジャワ島にコーヒーの強制栽培制度を取り入れた人物。オランダ財政の立て直しに貢献し、その後は植民地大臣に。

タイ王国
◉ラタナコーシン（チャクリ）朝（1782年～現在）。首都はバンコク。19世紀末の東南アジアで唯一独立を守った国です。

39 欧米諸国の中国進出の足がかりとなったアヘン戦争の時代

自由貿易主義の波動は東アジアも揺るがします。清国ではアヘン戦争（1840〜42年）・**アロー戦争**（1856〜60年）、しかも国内では**太平天国の乱**（1851〜64年）……まさに内憂外患のもみくちゃ状態。この局面は、欧米列強の清国進出の足がかりとなりました。東アジアを襲った未曽有の危機に対して、清国は洋務運動で、また列強の進出を警戒する日本は、明治維新で切り抜けようとしました。

1860年代に進展した清国の近代化運動について、その理念を具体的に説明するとともに、日本の明治維新との違いにも言及しなさい。

◎アヘン戦争・アロー戦争——それは清国が自由貿易と近代外交に組み込まれる大事

◎アヘン戦争の時代　ヒントとポイント

清朝は列強に蚕食される中で近代化を試みた

件でした。旧来の朝貢外交が世界に通用しなくなることに。危機感を強めた清国は、**洋務運動**をはじめます。その理念は「**中体西用**」。つまり皇帝独裁や儒教といった国家の伝統を守るために、西洋の機械や軍事技術を取り入れるものでした。

◎日本の**明治維新**とよく比較されますが、清国と日本はキャラクターが違います。このころ日本は徳川幕府以来の旧態をぶっ壊し、近代国家の建設をめざしました。

◎日本の近代化は、**殖産興業**と**立憲君主政**がセットです。これに比べて、清国の洋務運動は、むしろ逆。近代化というよりも、旧態を保つためのものでした。

◎そして**日清戦争**（1894〜95年）がはじまると、ギャラリーの列強は、これを〈立憲国家＝日本VS非立憲国家＝清国〉という目で見ました。勝利したのは日本。この事実を直視した清国の政治家・康有為は、皇帝を動かして立憲改革（変法運動）を進めますが、皇帝に裏切られ、百日維新で挫折を見ます。

◎清国はこの間、日清戦争の賠償金を英・仏・独・露4国から借り受けます。その担保が中国領の勢力分割でした。分割は清国に刃を突きつけて奪ったように思われがちですが、そうではありません。とはいえ、清国はアヘン戦争以後、戦争と賠償金支払いという負のスパイラルのなかで、衰退を見ることになりました。

Keyword **洋務運動、中体西用、立憲君主政**

清国の洋務運動は、中国の伝統文化や制度を保持し西洋の機械・軍事技術を取り入れるもの。その理念は中体西用であって、立憲君主政をともなう明治維新の近代化とは異なる。（80字）

知っておきたいWord

南京条約

◉1842年、アヘン戦争の英清講和条約です。上海を含む5港の開港、香港島割譲、関税撤廃（最大5パーセント容認）・治外法権などが盛り込まれました。44年には望厦条約（米清）と黄埔条約（仏清）も結ばれます。

同時代の日本

◉アロー戦争中の1858年、不平等といわれた日米修好通商条約が締結。

太平天国の乱

◉聖書の影響を受け洪秀全が起こした清国打倒の反乱です。その核となった組織が拝上帝会――「天父上帝」（ヤハウェ）の意に沿った国家を建てる役目を任されたのが洪秀全で、「天兄基督」の弟とされます。しかし漢人地主の李鴻章・曾国藩らの自警軍や清国の常勝軍につぶされました。

康有為

◉清国の**戊戌の変法**（1898年）を進めた政治家です。変法とは、制度を変えること。明治維新を考察し、近代化のモデルを日本に求めました。

40 中国数千年の王朝史に終止符を打った孫文の国民革命

清国を倒せ！　漢族の中国を取り戻せ！　――１９１１年、湖北省で**武昌蜂起**発生。**辛亥革命**幕開けの瞬間でした。翌年、革命家・**孫文**が中華民国の建国を宣言すると、３００年におよぶ満州族の中国王朝は消滅。すると孫文は、清国の全領土を奪い取ることを企みます。しかし、この間に政権は軍閥の手に……。孫文はこれを倒すため、共産党との合作（国共合作）路線をとって、北伐（軍閥政府打倒）を進めることになります。

孫文は１９２４年の中国国民党大会で、共産党との合作を決定した。この政策の内容について、具体的に説明しなさい。

◎孫文は中華民国を立ち上げると、漢族と満州・モンゴル・ウイグル・チベット諸民族を併せて、ひとつの「**中華民族**」にすると述べました。それは清国領土を一方的に中華民国のものとし、領内の他の民族自決権を認めないことを意味します。

◎孫文の国民革命　ヒントとポイント

孫文は国共合作により軍閥政権打倒へ

◎チベットも、モンゴルも辛亥革命で独立を宣言しました。が、不幸にして内モンゴルは中国に奪われ、いまに至ります。外モンゴル（現モンゴル国）は、中国側の弾圧から逃れようとして、共産ロシアに接近。これが運のツキとなり、1924年、ソ連支配下の共産国に転じます。

◎一方、中華民国では袁世凱（えんせいがい）が大総統（政府首長）の座に就き、北京（ペキン）に軍閥政権が続きます。孫文はこれを倒し共和政の国民国家を建てるため、北伐を準備します。

◎北伐は、正式には**国民革命**といいます。北伐を成功させるため、孫文は1924年、中国国民党一全大会でソ連から指示された「**連ソ・容共・扶助工農**」政策を決定。ソ連と連帯し、共産主義を認め、労働者・農民の闘いを助ける、という意味です。

◎**北伐**（1926～28年）は孫文の死後、後継者の**蔣介石**（しょうかいせき）によって達成されました。ただ、その途中、蔣介石は上海クーデタ（1927年）を起こし、共産党つぶしをはじめます。時代は**国共合作**から**国共内戦**へ。ところが1937年、日中戦争が起こると、「抗日救国」のための国共合作が復活し、日本軍を敗退させることになるのです。

Keyword **連ソ・容共・扶助工農、国共合作、北伐**

ソ連が指示した連ソ・容共・扶助工農政策。内容はソ連と連帯し、共産党員の国民党への入党を認め、労働者・農民の闘いを助けること。国共合作で北伐を有利にしようとした。（80字）

知っておきたいWord

三民主義

◉孫文の革命理念です。それは民族の独立（民族主義）・民権の伸張（民権主義）・民生の安定（民生主義）の実現にありました。

袁世凱

◉清国末期の政治家です。李鴻章が築いた北洋軍閥を継承し、中華民国で絶大な権力を握りました。風見鶏のような嗅覚の持ち主で、「出世とは裏切り」という独特な人生哲学を思わせる人物でした。

黄埔軍官学校

◉広東省の黄埔に置かれた国民革命軍の養成所です。校長は国民革命軍総司令の蒋介石、政治主任には共産党員の周恩来が。国共合作の象徴です。

張作霖

◉満州を地盤とした奉天派軍閥の指導者。１９２４年、北京に政権を建てましたが、蒋介石の北伐に敗れ、１９２８年、列車で脱出。日本の関東軍の工作によって奉天（現・瀋陽）付近で車両が爆破され、殺されました。

第8章

植民地・勢力圏をめぐる争いが過熱。ついに第一次世界大戦がはじまる

人類がはじめて経験した世界戦争

こっちの考えが、地球の裏側にすぐに伝わる。そんな夢のようなことを可能にしたのが、電気通信です。

IT（情報技術）社会の原点となったのは、**モールス信号**。1851年、ロンドンとパリの間に開通しました。海底に敷かれた電信ケーブルが、国際ネットワークを広げます。明治5（1872）年には、東京―ロンドンがつながりました。

◎地球は我らで分けあう

モールス信号の次は、**有線電話**（1876年）・**無線電話**（1901年）。ちょうど欧米列強によるアジア・アフリカ分割が進んだ、**帝国主義**の時代でした。植民地統治について、本国とのやりとりでは威力を発揮しました。

通信は、列強間でも重要な役割を果たします。自国の勢力圏を守り、植民地の富を得るため、互いに利害を計算して、協調の陣営を張ります。

ドイツ・オーストリア・イタリアの三国**同盟**、イギリス・フランス・ロシアの三国**協商**がそうです。バルカン半島では、オーストリアとロシアが対立。

インド洋では、ドイツの**3B政策**とイギリスの**3C政策**が緊張の度合いを高めます。ドイツは世界政策のバイパスをペルシア湾に求め、ここから世界に出ようとしました。

この動きは、イギリス帝国主義の幹線ルー

パレスチナをめぐるイギリスの三枚舌外交

フセイン・マクマホン協定（1915年）
イギリスは、パレスチナを含むアラブのオスマン帝国からの独立を約束する

バルフォア宣言
（1917年）
イギリスは、ユダヤ人がパレスチナで国家を建設する運動（シオニズム）に協力する

サイクス・ピコ 協定
（1916年）
イギリス、フランス、ロシアの3国でアラビア半島北部を分割し、パレスチナは国際管理地とする

パレスチナは結局、イギリスの委任統治領になる（1920年）

映画「アラビアのロレンス」の主人公のモデルとなったトーマス・E・ロレンス（1888～1935年）

トであるインド航路（**東洋航路**・地中海〜インド洋）を圧迫しました。

◎第一次世界大戦が生みだしたものとは

こうして三国同盟と三国協商を結集軸に世界がぶつかったのが、**第一次世界大戦**（1914〜18年）でした。

この間**ロシアで食糧問題から革命が起こる**と、そこから史上まれに見る恐怖政治の**ソ連**の歴史がはじまります。そして**モンロー主義**をとってきた、アメリカが参戦。国際政治やヨーロッパに貸し付けた戦債の回収問題などに対処するためでした。

イギリスはドイツから賠償金を取らないと、アメリカに戦債は返せません。そこで勝つために、**アラブ人の独立運動**や**ユダヤ人の建国運動**を利用します。特にユダヤ人は**シオニズム**というアラブ文化圏への膨張運動をともなっていました。こうしたことが、現代にいたる**パレスチナ問題**の源流となりました。

そして中国・太平洋に勢力を広げた日本は、アメリカの反感を買い、日米関係は悪化を見ることになります。

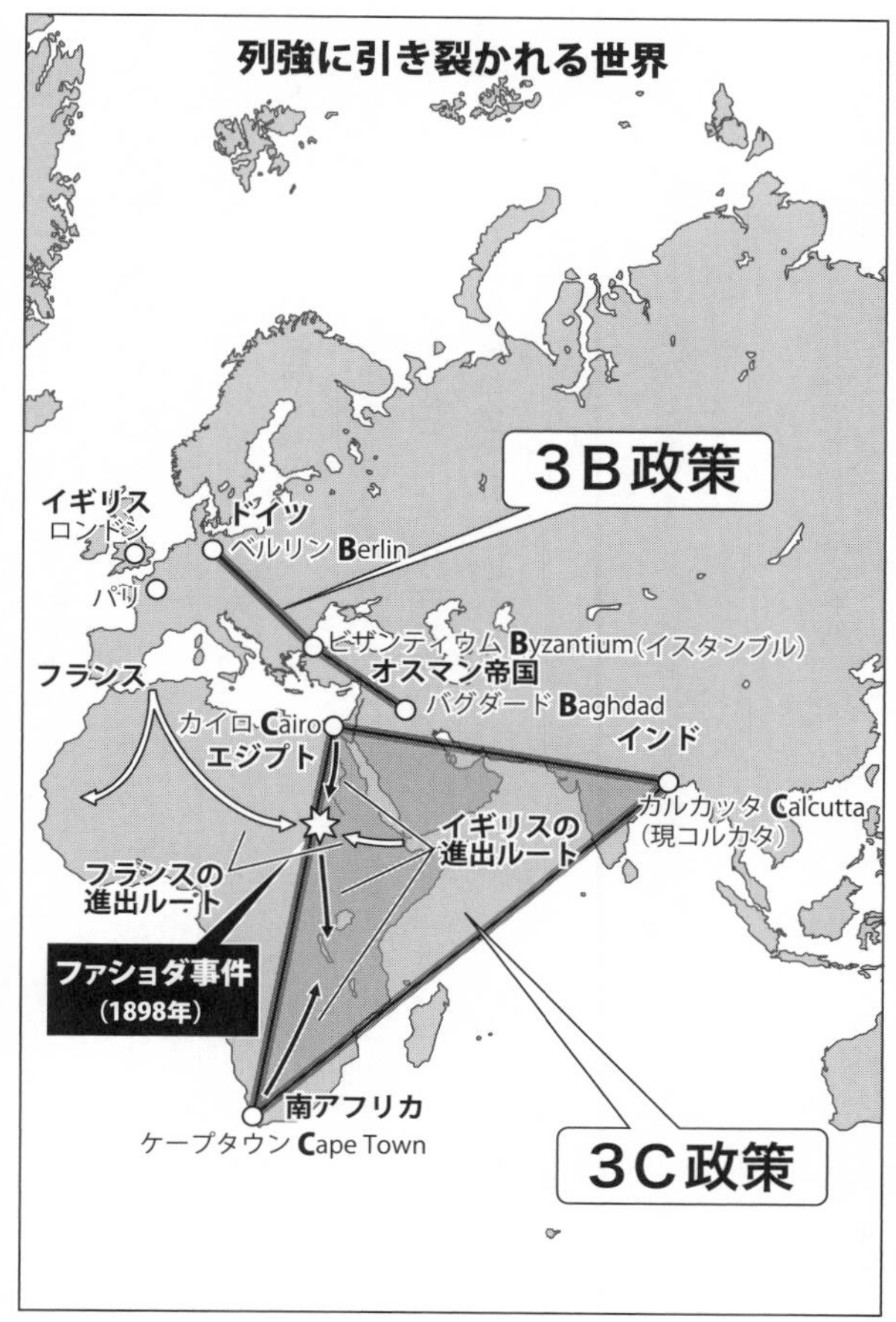

列強に引き裂かれる世界
3B政策
イギリス
ロンドン
パリ
ドイツ
ベルリン Berlin
ビザンティウム Byzantium（イスタンブル）
オスマン帝国
バグダード Baghdad
フランス
カイロ Cairo
エジプト
インド
カルカッタ Calcutta
（現コルカタ）
イギリスの
進出ルート
フランスの
進出ルート
ファショダ事件
（1898年）
南アフリカ
ケープタウン Cape Town
3C政策

41 列強による世界分割の時代――帝国主義の対立

19世紀末、列強による勢力分割は、まるでデコレーションケーキでも切り分けるように行なわれました。中国や東南アジアだけではありません。重化学工業が発展すると、列強の関心は資源の宝庫＝アフリカ大陸にも向けられます。こうして列強同士の利害関係は、イギリス・フランス・ロシアの**三国協商側**とドイツ・オーストリア・イタリアの**三国同盟側**のどちらかに統合されていきました。

イギリスの3C政策とドイツの3B政策の対立関係について、具体的に説明しなさい。

◎**帝国主義**は自由貿易主義から伸展した体制です。列強は製品・原料・投資の市場と

◉帝国主義の対立　ヒントとポイント

イギリス3C政策とドイツ3B政策の対立構造

して植民地獲得に奔走。こうした植民地の位置づけは産業革命以前の「植民地帝国」の状況とは質が異なります（第5・6章参照）。

◎具体的に見ると、1875年、イギリス首相ディズレーリは、スエズ運河のエジプト株を買収し、ケープタウン（南アフリカ）経由のインド航路はすでに持っています（ウィーン議定書・1815年）から、これによってイギリス本国〜地中海〜インド植民地を結ぶ、まさに「繁栄の幹線路＝**エンパイア・ルート**」が出現しました。

◎イギリスの繁栄は、南アフリカのケープタウン、エジプトのカイロ、インドのカルカッタ（現コルカタ）が軸になります。この三つを結ぶトライアングルゾーン（三角形地帯）を保持すること。それが**3C政策**です。

◎同じとき、ドイツ帝国（1871〜1918年）はヴィルヘルム2世の指揮下で、「世界政策」を進めます。スローガンは「ドイツの将来は海上にあり」。鉄道で首都ベルリン、ビザンティウム（イスタンブル）、バグダードを経てペルシア湾に出ればインド洋にも、太平洋にも出られます。これが**3B政策**です。

◎3C政策と3B政策はインド洋でバッティング。英領インドに迫ってくるドイツをイギリスは許しません。ドイツだって勢力拡張に妥協は見せません。こうしてイギリス側の三国協商とドイツ側の三国同盟が、対決の構図を描くことになるのです。

Keyword **バグダード鉄道、インド洋、エンパイア・ルート**

ドイツは、バグダード鉄道経由でペルシア湾からインド洋に出ようとする。それは、イギリスのエンパイア・ルートを脅かすことになり、英独両国の対立を深めるものとなった。(80字)

知っておきたいWord

リベリア共和国
◉19世紀末、列強によるアフリカ大陸の植民地化後、残った独立国はふたつ。ひとつはエチオピア。もうひとつは1847年建国のリベリア共和国です。アメリカ合衆国で解放された黒人たちが建国の核となりました。

ファショダ事件
◉1898年、アフリカ**横断政策**をとるフランスと**縦断政策**をとるイギリスが、いまの南スーダンのファショダで衝突。一触即発の事態となりましたが、1904年、フランスが譲歩し、英仏協商が成立しました。

三国同盟
◉1882年、フランスに対抗したイタリアが、オーストリアと同盟関係にあるドイツに接近して成立。三国協商と対立することになります。

三国協商
◉1907年、イギリスがロシアと英露協商を結び、英仏露の三国協商となりました。第一次世界大戦（1914～18年）では連合国の要に。

42 「ヨーロッパの火薬庫」となったバルカン問題

20世紀初め、世界史劇場はバルカン問題オン・ステージ状態。演目は「**ヨーロッパの火薬庫**」――バルカン半島に火の手があがれば、ヨーロッパが戦争になるという意味です。火種はロシアの南下政策、それにオーストリアによるボスニア・ヘルツェゴヴィナ併合と、これにかみつくセルビア。そしてバルカン半島内の領土を守ろうとするオスマン帝国。こうした政策がぶつかり合い、１９１２年、バルカン戦争が起こります。

大セルビア主義について説明し、それがどのような事件を招いたのか、具体的に述べなさい。

◎バルカン半島がオスマン帝国の支配下に入ったのは、14世紀。以来、キリスト教圏

◉バルカン問題　ヒントとポイント

オーストリアと大セルビア主義の衝突が火種に

（ギリシア正教、カトリック）にイスラーム教が広がることになりました。

◎スラヴ人がこの地で独立を取り戻すことになるのは、1878年の**ベルリン条約**のとき。そして1908年にはブルガリアも独立の悲願を達成。ところがもうひとつの南スラヴの**ボスニア・ヘルツェゴヴィナ**は独立できず、オーストリアに併合されました。

◎1912年、ギリシア正教のセルビア、モンテネグロ、ブルガリア、ギリシア4国は、ロシアの支援を得てバルカン同盟をつくります。「オスマン領　みんなで奪えば恐くない！」の大合唱の下、**第1次バルカン戦争**を起こしたのです。

◎この戦争では、ブルガリアがたくさん領土を取りました。これが他の同盟諸国から非難され、1913年、**第2次バルカン戦争**が勃発。ブルガリアは惨敗し、同盟も解体。ブルガリアは孤立したため、ロシアと対立するオーストリアに接近します。

◎同じとき、スラヴ系民族のなかから**大セルビア主義**という妄想が持ち上がります。セルビアが中心となって、南スラヴ人地域をまとめよう、というイデオロギーです。こうなると「オーストリアめ～よくもボスニア・ヘルツェゴヴィナを奪ったな～！」ってな具合にオーストリアは憎き大敵に。大セルビア主義は１９１４年、セルビア人によるオーストリア皇太子暗殺＝**サライェヴォ事件**をひき起こす原因となったのです。

Keyword **セルビア、南スラヴ人の統一国家建設、サライェヴォ事件**

セルビアを中心に南スラヴ人の統一国家建設をめざす民族運動である。これはオーストリアとの対立を深めサライェヴォ事件の原因となり、第一次世界大戦を招くことになった。（80字）

知っておきたいWord

ボスニア・ヘルツェゴヴィナ

◉ボスニア王国は12世紀成立、14世紀末、オスマン帝国領になり、1878年から事実上オーストリアの支配下に。州都はサライェヴォ。人口の4割がムスリム（イスラーム教徒）、3割がギリシア正教徒、2割がカトリック。複雑な文化が1990年代の**ユーゴスラヴィア内戦**の要因となります。

パン・ゲルマン主義

◉ヨーロッパ各地のドイツ民族（ゲルマン）を統合しようという膨張思想。1890年代のドイツ皇帝ヴィルヘルム2世の世界政策から発展したもの。ドイツとオーストリア・ハンガリー帝国のふたつの国家を統一し、さらに十字軍時代以来、東ヨーロッパに広がったドイツ人居住地域（ポーランドやチェコなど）も併合するという思想です。

パン・スラヴ主義

◉バルカン半島のスラヴ系民族の独立と統一をめざす思想。これを支援したのがロシアでした。パン・ゲルマン主義と対立しました。

43

人類がはじめて経験した総力戦・第一次世界大戦

１９１４年、サライェヴォ事件で怒り心頭に発したオーストリアは、７月、セルビアに宣戦。**第一次世界大戦**（１９１４〜１８年）の幕開けとなりました。ドイツ、オーストリアを軸とする**同盟国軍**と、英仏露を中心とする**連合国**（協商国）軍との戦いです。１９１７年にはアメリカも参戦。各国では戦地に送られた男性に代わって、女性が銃後社会を切り盛りしました。植民地も戦争に協力。大戦は史上初の**総力戦**となりました。

孤立外交をとってきたアメリカは、第一次世界大戦に参戦した。この理由について、具体的に説明しなさい。

◎大戦はドイツ、オーストリア・ハンガリー帝国、ブルガリア、オスマン帝国の同盟軍と、三国協商側の27カ国連合軍との戦いです。日本もドイツ勢力圏の太平洋や中国・山東半島が欲しくて、連合国軍に参加しました。

◎第一次世界大戦　ヒントとポイント

孤立外交のアメリカが参戦した理由は?

◎主戦場はドイツの東西にセットされました。東部戦線の**タンネンベルクの戦い**では、ロシア軍を圧倒。英仏と激突した西部戦線では、塹壕戦の**ソンムの戦い**が有名です。毒ガス、戦車、飛行機といった現代兵器が登場したのも、この大戦でした。

◎大戦が長期化するなか、1917年、ロシアで**二月革命**（新暦3月8日）が起こりました。300年続いたロマノフ朝は崩壊。これを見たアメリカは、ドイツ軍が潜水艦で民間船舶も攻撃していることを非難して4月、ドイツに宣戦します。**モンロー外交**のアメリカが、ついに大西洋を越えて、ヨーロッパ戦争に介入したのです。

◎アメリカが参戦した事情は、時の大統領ウィルソンが言ったように、「勝利なき平和」の実現を目指してのこと。だから勝ち負けなしで、戦争をやめようよ、と主張します。

◎アメリカは大戦中、英仏両国に武器をどんどん輸出し、世界最大の債権国になりました。一方の英仏は、ドイツから賠償金をガッポリふんだくって、それを武器代金に充てる腹づもり。どうやらこのあたりに、なぜアメリカが参戦したのか、その真意が見えてきますね。やがて大戦は、連合国側の勝利で終わりました。

Keyword **ロシア革命、武器代金、賠償金**

アメリカはロシア革命で連合国が劣勢になることを懸念。そこで武器代金の支払いに充てられる賠償金を確かなものにするため、ドイツの無制限潜水艦作戦を非難して参戦した。（80字）

知っておきたいWord

女性参政権

◉総力戦ということで、男性が出征すると、銃後社会では女性の職場進出が目立ちました。男性の仕事を女性がカバーし、社会を滞りなく機能させたのです。こうした流れから、第一次世界大戦の時代にイギリス、オランダ、アメリカ、メキシコなどでは、**女性参政権**が認められました。

イープルの戦い

◉1915年4月、西部戦線のイープル（現ベルギー）の戦いで史上はじめて、塹壕戦に対処するために発明された毒ガスが使われました。発明者のドイツの化学者フリッツ・ハーバーは、科学は平和なときは人類のためにあるが、戦時には祖国のためにある、と言います。考えさせられますね。

キール軍港の水兵反乱

◉1918年11月、ドイツのキール軍港で水兵たちが戦争反対を叫んで蜂起しました。これが首都ベルリンに広がると、皇帝ヴィルヘルム2世はオランダに亡命。こうして大戦はドイツの降伏で終結します。

44 ロシア革命はレーニンの暴力を生みだしソ連が成立した

「全ての権力をソヴィエトへ！」――1917年、ロシア**十月革命**（新暦11月7日）の指導者**レーニン**は、労働者人口1パーセントの国で、**ソヴィエト**（労働者協議会）政府をつくろうと企みます。が、思うとおりにならないと、翌年1月、国民選挙で誕生した憲法制定議会をつぶして共産党独裁体制を樹立。反対勢力は武力で弾圧。これがきっかけでロシアは内戦に突入します。**ソ連**は暴力の延長線上に出来上がった国でした。

ロシア内戦（1918～22年）下で、レーニンが採用したネップ（新経済政策）について、具体的に説明しなさい。

◎「ロシア革命とは**ボリシェヴィキ**（共産党）という私的な一団体が、公の国家を私物

◉ソ連の誕生　ヒントとポイント

ネップとソ連の第1次五カ年計画の行方は?

化したこと」。この言い方は、ソ連崩壊後、歴史家たちのあいだで議論された言葉です。

◎**社会主義革命**は労働者の解放を目ざすもの。それは**マルクス**が「高度に発達した工業社会」のイギリスを想定して言ったことです。レーニンはそれを知りながら、高度に発達していない工業社会で、革命を無理強いしたのです。彼は国民の意思を非合法で押しつぶし、しかも共産党以外の政党を禁止しました。

◎そしてロシアで内戦を見ると、レーニンは**穀物徴発制**をとります。食糧を農民から奪うのも同然で集め、それを**赤軍**（共産党軍）兵士に与え、残りを農民にまわすというやり方です。そんなことやられたら、農民は勤労意欲が湧きません。

◎そこで採用されたのが、**ネップ**（**新経済政策**）（1921〜28年）です。穀物の徴発はやめ！　農民は一律10パーセントの**食糧税**さえ納めれば、残りは市場で売ろうと、自由にさばいてもいいことになりました。ライフラインに関わる基幹産業は国有化。ただし、独立採算制です。小企業や商店の経営は自由。ネップは**市場経済**なのです。

◎社会主義経済の建設といわれた**第1次五カ年計画**（1928〜32年）は、ダムをつくり、トラクターの生産に重点を置きました。でも、それはアメリカの技術援助とトラクターの輸入でまかなわれたもの。社会主義経済は、なかなか形が見えません。

Keyword **穀物徴発制、食糧税、市場経済**

穀物徴発制は廃止され、農民は食糧税を納めれば作物の自由処分が認められた。また、小企業の自由経営、国有化された基幹産業の独立採算制など、市場経済を特徴としていた。（80字）

知っておきたいWord

憲法制定議会

◉十月革命後の初の普通選挙で成立した国民議会です。国民が支持した政党は、なんと革命で倒された社会革命党。これが議会で単独過半数を占め、ボリシェヴィキは敗北しました。

戦時共産主義

◉ロシア内戦がはじまると、レーニンは生産物を「**労働に応じた報酬**」(**社会主義**)ではなく、「**必要に応じた報酬**」(**共産主義**)の理念を利用し、穀物徴発制を導入。作物を政府が強制的に取り上げ、赤軍に充て、残り(必要に応じた報酬)を農民が受け取るシステムです。やる気なくします。

ソ連の成立

◉1922年、民族自決主義を利用して、レーニンはロシア支配下のベラルーシとウクライナを共産党独裁国として独立させます。それにロシアがイランから奪ったザカフカースを入れ、ソ連は4国の連邦でスタートします。

45 パレスチナ問題を大きくした イギリス外交

第一次世界大戦は総力戦。イギリスは勝つためなら、がむしゃらな外交もへっちゃら。オスマン軍の攻撃からスエズ運河を守るために、アラブ人の独立運動と手を組むほど。また、ユダヤ系財閥の支援が得られるなら、ユダヤ人のパレスチナ建国運動だって支持。でも、そうなるとアラブ人の領土にユダヤ人国家が割り込む格好になります。**パレスチナ問題**の源流をのぞき込むと、イギリスの外交が見えてくるのです。

第一次世界大戦中、イギリスはアラブ人とユダヤ人に対してどのような外交を展開したのか、具体的に説明しなさい。

◎第一次世界大戦がはじまると、イギリス軍はヨーロッパ戦線に張りつきます。とこ

◉イギリス外交　ヒントとポイント

英介入で深まるアラブ人とユダヤ人の対立

ろが、開戦後、オスマン帝国とも交戦状態に。こうなると、イギリスはスエズ運河を壊されるのではないかと、気が気ではありません。

◎そこで一考。イギリスは1915年、アラブ人側と**フセイン・マクマホン協定**を結びます。大戦後にアラブ人の独立を認めるという内容です。その代わり、オスマン帝国への反乱を促しました。翌年、〝**アラビアのロレンス**〟の名で知られるイギリス人トマス・E・ロレンスの指導で、アラブの反乱は成功。シリアを占領しました。

◎同じ1916年、ペトログラード（現サンクト・ペテルブルク）に英仏露3国首脳が集まりました。目的はオスマン帝国領の分割について。イギリスはイラクとシリア南部、フランスはシリア北部と小アジア（現トルコ）南東部。ロシアは黒海南東岸。懸案のパレスチナは国際管理地域とする。この密約が**サイクス・ピコ協定**です。

◎1917年、イギリス外相バルフォアは、ユダヤ系大資本のロスチャイルド家に支援を無心します。その代わり、ユダヤ人のパレスチナ建国運動（**シオニズム**）を支持すると言ったのです（**バルフォア宣言**）。

◎アラブ人側には、ユダヤ人のパレスチナ建国運動に警戒する動きもありました。イギリスのこうした外交は、両民族の悲願と不安を巧みに利用したものです。

Keyword **フセイン・マクマホン協定、バルフォア宣言、シオニズム**

フセイン・マクマホン協定でアラブ人の独立を約束し、ユダヤ人には、バルフォア宣言でシオニズムの支持を表明した。パレスチナ領有権をめぐって両民族の対立は強まった。（79字）

知っておきたいWord

シオニズム
◉19世紀末、ヘルツルが唱えたユダヤ人によるパレスチナ郷土建設運動です。ユダヤ人はロシアで虐殺・迫害され（**ポグロム**）、ヨーロッパでは差別されます。聖書にある「シオンの丘」（パレスチナ地方）はユダヤ人の故地、異境で同化したかったがそれが拒まれたからには、「郷土」を建てるしかないという考えです。

トマス・E・ロレンス
◉第一次世界大戦下でアラブ民族の独立運動を支援したイギリス軍情報将校です。オックスフォード大学で歴史学を専攻し、中東地域の事情通であることを買われ、1916年、「アラブの反乱」を指導。通称「アラビアのロレンス」。同名の映画（1962年）は、7部門でオスカー受賞。

ロスチャイルド財閥
◉金融業を営むユダヤ系の大資本。イメージは政商。イギリス首相ディズレーリが1875年にスエズ運河株を買ったときの資金も提供しました。

第9章

20年間のヴェルサイユ体制を経て大規模な第二次世界大戦に突入

パリ講和会議が第二次世界大戦を準備した⁉

２０２０年、新型コロナウイルス（ＣＯＶＩＤ‐19）は、日本人に「新しい生活」様式をもたらしました。マスク・手洗い・うがい……でも、これは１００年前の光景と同じです。

１９１８～２０年、世界が流行性感冒（インフルエンザ・パンデミック）・スペイン風邪に襲われたときです。第一次世界大戦（１９１４～１８年）でウイルスは、世界中に広がります。

世界人口20億人の時代に感染者5億人、死者４０００万人を超えたとも。三波にわたる大流行に見舞われた日本では、感染者は２４００万人、死者45万人といわれます。

◎ヴェルサイユ体制はインフルエンザ・パンデミック体制!?

そうした状況下で開かれたのが、第一次世界大戦終結のための**パリ講和会議**（1919年）でした。戦勝国27カ国が出席。

講和の指針とされたのは、鳴物入りで作られた米国大統領ウィルソンの「**十四カ条の平和原則**」。戦後の国際平和をいかにつくり上げるかという点に主眼が置かれました。会議は半年にわたります。ところが、途中ウィルソンがウイルスに感染。ベッドから起き上がっても、あまりのだるさに、会議の流れについていけず、「**ドイツ報復**」を止める気力もなくなったといいます。

その挙げ句、純金で4万7256トン（66億ドル）の賠償支払いがドイツに押しつけられました。報復に対するドイツ国民の反発は**ヒトラー**政権を出現させることになります。一方ウィルソンは、その後も体調は戻らず、4年後に亡くなっています。

◎全体主義がヨーロッパを支配する

1936年、スペインで**全体主義**（**ファシズム**）に反対する**人民戦線**政府が誕生すると、ドイツとイタリアの**ムッソリーニ**は**枢軸**（すうじく）**体制**を築いて、ヨーロッパを全体主義で塗り替えることに成功します。民主主義の体を保ったのは、イギリスとフランスくらい。

しかもこの間ドイツは、オーストリアを併合。さらに1939年3月、チェコ全土を占領し、スロヴァキアを保護国とします。

翌4月、今度はポーランド併合か、と世界は固唾をのむほどに緊張します。そしてそれは**スターリン**のソ連との野合により9月に強行されました。これが**第二次世界大戦**（1939~45年）のはじまりでした。

世界を恐怖のどん底に陥れた大戦への道は、インフルエンザ・パンデミックの影響を多分に受けていた。こう言ってもいいでしょう。

世界恐慌がもたらした国際対立

植民地や資源を「持てる国」	対立	植民地や資源を「持たざる国」
●アメリカ・イギリス・フランス		●ドイツ・イタリア・日本
本国と植民地などによる閉鎖的な「ブロック経済」体制やニューディール政策（アメリカ）で対応	第二次世界大戦へ	東欧諸国（ドイツ）、エチオピア（イタリア）、中国（日本）を軍事力で侵略
反ファシズム		ファシズム体制

第一次世界大戦後の国際秩序は協調外交

ヴェルサイユ体制
（ヨーロッパの平和・安全）

国際協調

1920年、アメリカの提案により、国際平和機構・国際連盟が発足。イギリス・フランス・イタリア・日本が常任理事国となる

↓

アメリカは非加盟、発足当初は、ソ連、ドイツが除外されたことが不安要素になった

民族自決

ポーランド、チェコスロヴァキア、ユーゴスラヴィアなど東欧８カ国が独立。オーストリアは共和国となる

ロシアの社会主義革命が、ヨーロッパに広がるのを阻止するために利用された

多大な賠償金

第一次世界大戦の敗戦国へ、多大な賠償金が課せられた。ドイツは植民地の放棄、領土の割譲も求められる

ドイツ国民の不満が募り、ナチ党が台頭。第二次世界大戦の火種となる

ワシントン体制
（アジア・太平洋地域の平和・安全）

ワシントン海軍軍備制限条約

1922年、アメリカ・イギリス・日本・フランス・イタリアの間で、「ワシントン海軍軍備制限（軍縮）条約」が結ばれ、主力艦の保有数の割合が決められた。各国の経済を圧迫していた建艦競争に歯止めをかけることが求められていた

アメリカ・イギリス＝5

日本＝3

フランス・イタリア＝1.67

九カ国条約

中国の主権尊重などを約束した条約。日米間の「石井・ランシング協定」（1917年）の破棄など、日本の中国政策は後退させられた

↓

両体制とも世界恐慌により崩壊する

46 旧帝国の解体と反コミンテルンでまとまったヴェルサイユ体制

1919年1月、第一次世界大戦の講和会議がはじまりました。場所はパリ。米大統領ウィルソンの「**十四カ条の平和原則**」を指針に会議は進められましたが、できあがった講和条約は、敗戦国への報復と**コミンテルン**（**世界共産党**）の革命輸出に対抗するものでした。これを**ヴェルサイユ体制**といいます。それは民族自決主義の理念を利用して、旧帝国（敗戦国とロシア）を解体する場となりました。

第一次世界大戦後のヴェルサイユ条約によって、ドイツの本土と中国勢力圏はどのように処分されたのか、具体的に説明しなさい。

◎**パリ講和会議**に出席したのは連合国の27カ国。敗戦国とソヴィエト・ロシアは招か

◉ヴェルサイユ体制　ヒントとポイント

ドイツへの報復と反コミンテルンが主目的

れませんでしたから、連合国がつくった条約を受け入れるしかありません。

◎敗戦国の講和条約は次のとおり。ドイツは**ヴェルサイユ条約**、オーストリアはサンジェルマン条約、ハンガリーはトリアノン条約、ブルガリアはヌイイ条約、オスマン帝国はセーヴル条約。どれも「報復」色濃厚な条約です。

◎ドイツとの条約調印は、ヴェルサイユ宮殿で行なわれました。1871年、ドイツ帝国の成立式典は、ビスマルクがフランスを戦争でねじ伏せて、ここで行なわれました。フランスは味わった屈辱を忘れていなかったのです。「同じ場所（宮殿）で、今度はドイツが屈辱を味わう番だ！」というフランスの恨みの声が聞こえるようです。

◎ヴェルサイユ条約の主な内容は……

①ドイツは海外植民地・権益を全て放棄　②中国・山東（さんとう）半島のドイツ権益は日本に移譲　③アルザスとロレーヌはフランスに返還　④バルト海に通ずる地域（ポーランド回廊）は、ポーランドに割譲

これによりドイツ領土は東西に分かれ、ドイツ本土は13パーセント削減されました。

◎また、戦争責任はドイツにあるとされ、それに対する賠償金の支払い義務が課せられました。金額は後日決定（1320億金マルク・1921年）。そして**国際連盟**の発足もこの条約で決められ、大戦後の国際平和に期待が寄せられました。

Keyword **山東半島、アルザス・ロレーヌ、ポーランド**

海外植民地・権益は全て放棄させられ、中国の山東半島の権益は日本に移譲された。本土のアルザス・ロレーヌはフランスに、バルト海に通ずる地域はポーランドに割譲された。（80字）

知っておきたいWord

ウィルソンの十四カ条の平和原則
◉第一次世界大戦後の国際平和のあり方を提案したものです。秘密外交の廃止、民族自決の原則、国際連盟の設立などが唱えられました。

旧帝国の解体
◉旧帝国は敗戦国。ふたたび戦勝国の脅威とならないように領土を削られました。東欧8カ国の独立はこうして実現しました。

東欧8カ国
◉フィンランド・エストニア・ラトヴィア・リトアニアは旧露（ロシア）領、ポーランドは旧露・墺（オーストリア）・ドイツ帝国領、チェコスロヴァキア・ハンガリーは旧墺領、ユーゴスラヴィアは旧墺領などの合体。

反コミンテルン
◉コミンテルン（本部モスクワ）は、1919年に結成された世界共産革命の国際組織。これを警戒する西欧資本主義諸国は、東欧8カ国に「革命の防波堤」を期待しました。

47 持てる国と持たざる国の対立から ヨーロッパの枢軸はファシズムへ

ヴェルサイユ体制を壊したのは、強力な一党支配による**ファシズム**（**全体主義**）でした。

１９３３年、ドイツに誕生したナチ党政権は、イタリアのムッソリーニと同盟してヨーロッパの枢軸（すうじく）国となります。独伊両国が心棒になって全欧諸国を束ねるという意味です。

その**背景**に**世界恐慌**がありました。未曽有の不況を乗り切るには、海外に勢力圏を持っていないとダメ。ファシズムはこうした「持たざる国」に広がりました。

１９３８年、ドイツは勢力圏の拡張に着手した。その過程に見られたチェコスロヴァキアの解体について、具体的に説明しなさい。

◎１９２９年10月24日、米ニューヨーク・ウォール街の株価暴落をきっかけに、列強

◉世界恐慌とファシズム　ヒントとポイント

世界恐慌がドイツ第三帝国の建設を招いた

は経済取引を自分の植民地としかやらないような体制をつくります（**ブロック経済**）。それはドイツやイタリア、東ヨーロッパのような「**持たざる国**」にはできない相談でした。

◎このときドイツで**ヒトラー**を首班とする独裁政権が出現しました。総選挙でヴェルサイユ体制への不満と恐慌突破策を訴えた**ナチ党**は、１９３２年の総選挙で第一党へ。そして翌年政権につくと、一転して独裁政治を敷きます。

◎そしてヒトラーは持論の「ドイツ民族はひとつ！」を唱え、**第三帝国**の建設を進めました。まず１９３８年３月、**オーストリアを併合**。すると今度は、チェコスロヴァキア領内ドイツ人居住区のズデーテン地方に目をつけます。

◎同年９月、英仏独伊の４国首脳による**ミュンヘン会談**で**ズデーテン併合**が認められました。味を占めたヒトラーはますます強気になり、翌年３月、チェコスロヴァキア本体に迫ります。

◎ドイツはチェコスロヴァキア領西半部の**ベーメンとメーレン地方を併合**。そして、東半部の**スロヴァキア地方を保護国**にしてナチ党同様の政府をつくらせます。あれ欲しいこれ欲しいのと駄々っ子ぶりを発揮したヒトラーが次に狙うのが、ポーランドでした。

Keyword **ミュンヘン会談、ズデーテン、ベーメン・メーレン**

ミュンヘン会談でドイツ人居住区のズデーテン地方の併合が承認されると、１９３９年春には西半部のベーメンとメーレン地方を併合し、東半部のスロヴァキアは保護国とした。（80字）

知っておきたいWord

第三帝国

◉ヒトラーが唱えた大ゲルマニア計画＝ドイツ人の民族共同体構想。第一帝国は神聖ローマ帝国、第二帝国はビスマルクのドイツ帝国です。

宥和（ゆうわ）政策

◉イギリスの外交政策です。ファシズム諸国に対して譲歩するという特徴があります。ヒトラーに欲しいものを与えたのは、ナチスがいずれソ連を倒してくれるのでは、という期待をかけていたからです。

スペイン内戦

◉政府軍とフランコ将軍ひきいる反乱軍との戦いです。ドイツは１９３７年、北部バスク地方のゲルニカを爆撃し、反乱軍を支援。イギリスやフランスは内政干渉になるといって、政府軍の敗退を静観しました。

『ゲルニカ』

◉１９３７年、ピカソはドイツ軍によるゲルニカ爆撃への怒りを絵画で表わします。『ゲルニカ』はこの年のパリ万国博覧会の出品作となりました。

48 第二次世界大戦は民主主義陣営の勝利か？世界冷戦のはじまりか？

第二次世界大戦は１９３９年９月、独ソ両軍の**ポーランド侵攻**からはじまりました。その仕掛け人はソ連。しかし１９４１年、独ソ戦争が起こると、ソ連は米英と「民主主義陣営」の要となって、ドイツと対戦。奇妙な戦争です。しかもアメリカの軍事援助を得たソ連は、ドイツ軍を追撃する途中、占領した東欧諸国に共産独裁を押し付けていきます。アメリカはいい面（つら）の皮。これが戦後世界政治の基点となりました。

１９４５年２月に開かれたヤルタ会談で、米ソ両首脳は朝鮮半島と日本問題について、どのような合意を見たのか、具体的に説明しなさい。

◎第二次世界大戦の局面が大きく変わるのは１９４１年のこと。３月、アメリカで武

◉第二次世界大戦 ヒントとポイント

連合国と枢軸国の対立から世界戦争へ

器貸与法がつくられます。目的はヨーロッパで孤軍奮闘するイギリスを支援するため。これを知ったドイツは、長期戦に備えます。その戦略が石油と食糧の豊かなソ連を取ること。これが**独ソ戦争**のきっかけでした。

◎同年12月、今度は日本と米英が開戦。当時、**日中戦争**（1937〜45年）が長引いていました。その原因は、英米が東南アジア経由で中国の指導者・蔣介石（しょうかいせき）を支援していたから。そこで日本軍はこの「**援蔣**」**ルート**を絶つために戦争を拡大したのです。

◎こうして第二次世界大戦は、日独伊の**枢軸**（すうじく）側と、米英ソ中4国を要とする26カ国連合との対戦となりました。いまの**国際連合**は、この**連合国**（**United Nations**）から発展したものです。

◎1945年2月、クリミア半島のソ連**ヤルタ**で米英ソ3国首脳会談が開かれました。米はローズヴェルト、英チャーチル、ソ連スターリンが出席して、ドイツの戦後占領、国連の拒否権、東欧諸国の民主選挙の実施などが決められました。

◎同会談では、米ソは**ソ連の対日参戦**に合意。スターリンは**千島・樺太（からふと）の占領**を条件にしました。また、**朝鮮半島については米ソによる共同占領**が決められました。

Keyword **対日参戦、千島・樺太占領、米ソの朝鮮共同統治**

ソ連はヨーロッパ戦争終結後、3カ月以内に対日戦に参加する。千島・樺太はソ連が占領する。朝鮮半島については、米ソ両国が後見人となって、期間を決めて共同で統治する。（80字）

知っておきたいWord

ポーランド

◉ポーランドは1795年、ロシア・プロイセン・オーストリアの3国で分割され、歴史から消されました。独立を回復したのは第一次世界大戦後のこと。スターリンとヒトラーは、互いにポーランド領土を取り戻す（再び奪う）ため、第二次世界大戦をひき起こしたのです。

「援蔣」ルート

◉日中戦争がはじまると、中国・蔣介石政府は重慶（じゅうけい）に移動。英米は南方から物資を送り支援。1940年9月、日本軍は「援蔣」ルートを絶つために東南アジアに侵攻しました。その後は資源の獲得にも期待。

北緯38度線

◉米ソは朝鮮独立の後見人として、互いの占領管轄区を決めました。その境界が北緯38度線です。ここから北はソ連、南はアメリカが占領。この線を提案したのはアメリカのふたりの軍人。30分で決まったといいます。

第10章

東西冷戦の時代から混迷を深める現代世界へ

冷戦を乗り越えてもなお、混乱する21世紀世界

1953年、ノーベル文学賞に輝いたのは、イギリスの政治家**チャーチル**。『第二次世界大戦回顧録』（日本語版『第二次世界大戦』河出書房新社）が評価されたのです。

その鋭い文学的表現は、歴史のなかにも見受けられます。東西冷戦のシンボルとなった「**鉄のカーテン**」という言葉は、チャーチルの造語です。

◎鉄のカーテンから雪どけの時代へ

第二次世界大戦後、バルト海からアドリア海にかけて、鉄のカーテンが下ろされ、ヨーロッパは**東西に分断**されました。カーテンの東側では、自由と民主主義は否定され、東西の往来も許されず、東欧・バルカン半島はソ連圏に変じました。

その影響は1949年、**ドイツの東西分断**、北京（ペキン）と台湾の**ふたつの中国**成立。翌1950年、中・ソ・北朝鮮（朝鮮民主主義人民共和国）が野合（やごう）して**朝鮮戦争**を起こすと、**朝鮮半島の南北分断体制**は固定され、**冷戦**は一挙に世界を駆けめぐりました。

ところがソ連指導者**スターリン**が死ぬと、冷戦の風向きが変わります。1960年代は米ソ間で**平和共存政策**がとられ、世界は雪どけムードに包まれました。1970年代は米中国交正常化によって**デタント**（**緊張緩和**）へ。

◎ポスト冷戦から21世紀の時代へ

しかし1979年、ソ連の**アフガニスタ**

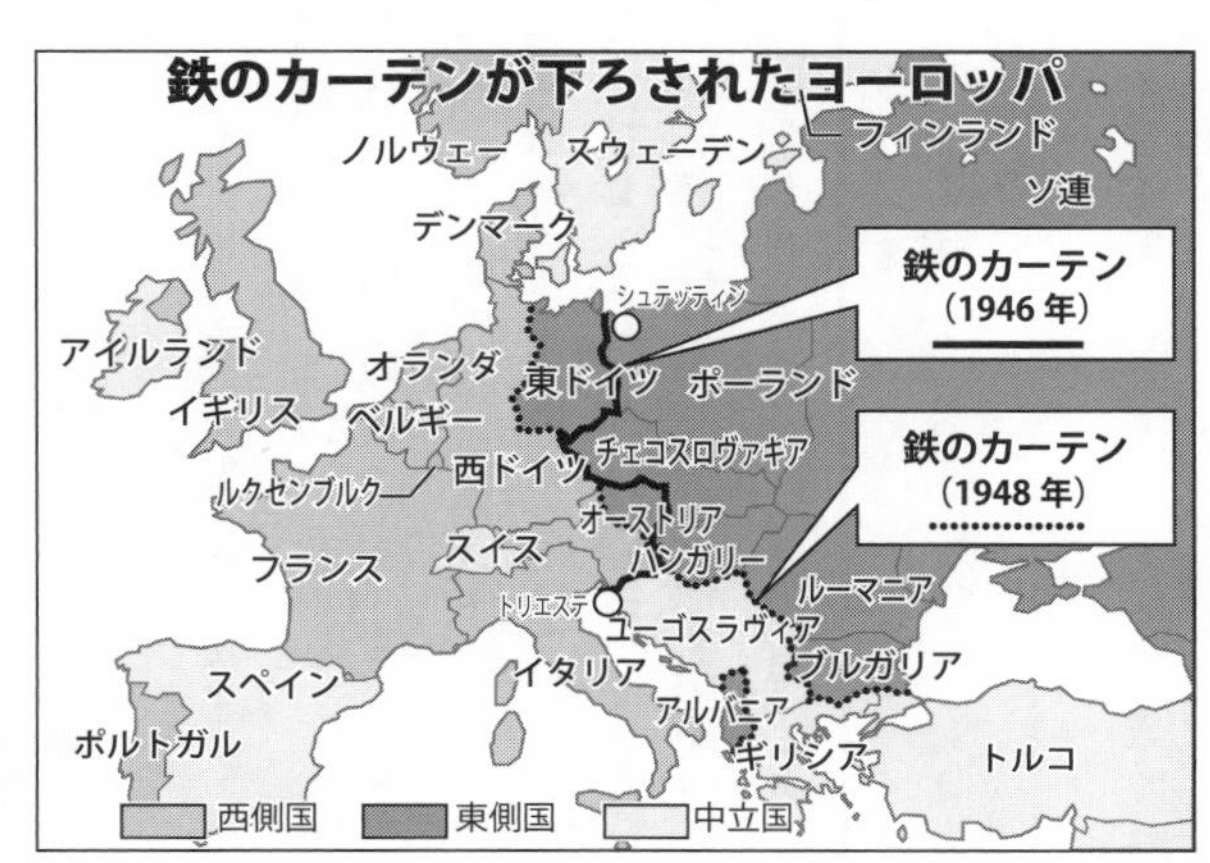

ン侵攻をきっかけに、世界は再び冷戦に突入。それでも国民生活の全てが秘密警察と共産党に監視される国が長続きするわけがありません。

ソ連で**ペレストロイカ**（改革）がはじまると、改革は指導者の思惑を突き抜けて、**東欧民主革命**に発展。共産圏は総崩れ。1991年にはソ連も崩壊。

冷戦は終わりました。が、パレスチナ地方では、中東戦争以来、アラブ人とユダヤ人の対立は収まることもなく、解決の糸口も見つからないままです。これに加えて、イスラーム勢力による国際テロや文化遺産の破壊が後を絶ちません。

また、1993年に立ち上げられた**ヨーロッパ連合**（EU）は、通貨統一を起爆剤に、新しい地域統合のあり方を示しました。しかし難民受け入れ問題や加盟国間の経済格差が大きな壁となり、近年、イギリスの連合脱退という事態さえ起こりました。「自国ファースト」の動きも強まっています。

21世紀は、寛容と国際性に向けての軌道修正が問われています。

いまだ解決しない北方領土問題

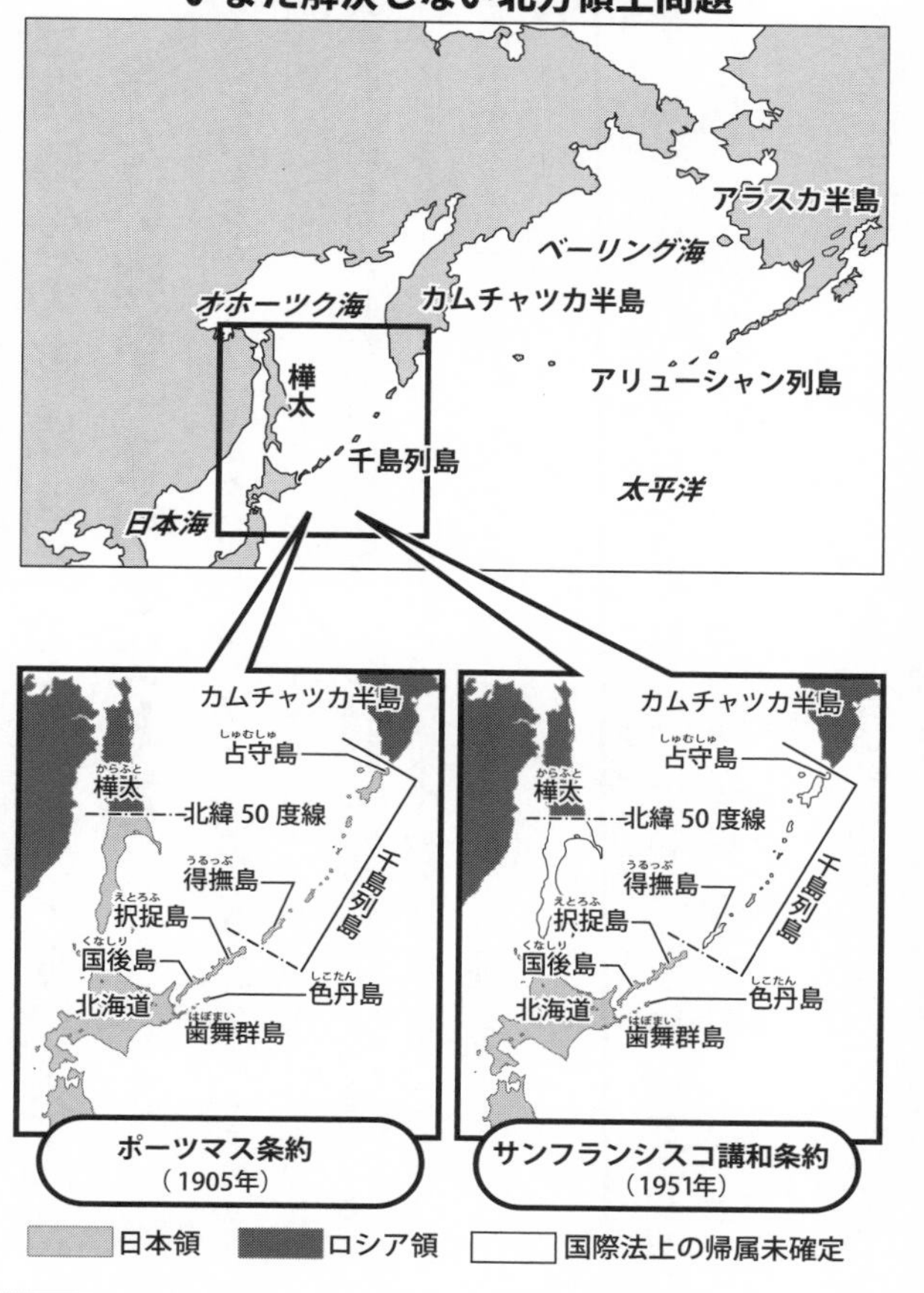

49 東西陣営の形成は鉄のカーテンをはさんだ「冷たい戦争」を引き出した

第二次世界大戦が終わると、ソ連はヤルタ合意を破ります。東欧の民主選挙はやらない。しかも経済復興は急を要する。１９４７年６月、アメリカが立ち上がります。全欧への経済復興援助計画を発表したのです。スターリンは慌てて東欧をタガではめ、モスクワの統制下に置きました。これで東西欧州の自由往来や通信はできなくなります。この状況を政治家チャーチルは、「鉄のカーテン」が下ろされたと批判しました。

１９４８年２月、チェコスロヴァキアで起こったクーデタは、西ヨーロッパにどのような影響を与えたのか、具体的に説明しなさい。

◎**鉄のカーテン**とは、１９４６年３月、イギリスの前首相**チャーチル**が米国ミズーリ

◉鉄のカーテンと米ソ対立　ヒントとポイント

ヨーロッパ冷戦に見る緊張と対立の構図

州のフルトン演説で使った言葉――「バルト海のシュテッティン（現ポーランド）からアドリア海のトリエステ（現イタリア）にかけて、ヨーロッパ大陸を遮断する鉄のカーテンが下ろされた」。**東西冷戦**の幕開けを示す象徴的な言葉となりました。

◎翌年6月、米国ハーヴァード大学卒業式で、米国務長官マーシャルが、ヨーロッパの経済復興援助は急を要する、戦争で産業基盤はガタガタだ、ここはひとつ、無償援助が必要だと発言します（**マーシャル・プラン**）。**スターリン**は、これにビックリして**コミンフォルム**（**共産党情報局**）をつくって対抗しました。

◎コミンフォルムというのは、なんのことはありません、ソ連の指令を流し込むための上意下達（じょういかたつ）の国際組織のことなのです。ソ連が右向けと言ったら、東欧諸国は一斉に右を向く。アメリカの援助なんか受けるな〜！　って言われたら、涙をのんで援助はあきらめる。

◎そして1948年2月、ソ連は議会制民主主義国のチェコスロヴァキアにクーデタを仕掛け、共産党独裁政権をつくらせたのです。これに衝撃を受けた西欧は、共産圏の侵攻に対抗し、集団防衛のための**西ヨーロッパ連合条約**を結びます。参加国はイギリス・フランス・ベルギー・オランダ・ルクセンブルク。これは翌年、**NATO**（**北大西洋条約機構**）へ発展します。冷戦はいよいよ、軍事同盟の対立に向かっていきました。

Keyword **西ヨーロッパ連合条約、共産圏の武力侵攻に対抗、軍事同盟**

イギリス・フランス・ベルギー・オランダ・ルクセンブルクの5カ国が、西ヨーロッパ連合条約を結んで、共産圏の武力侵攻に対抗して、西欧を守るための軍事同盟を結成した。（80字）

知っておきたいWord

トルーマン・ドクトリン

◉戦後アメリカ外交の骨格をなすもの。1947年3月、大統領のトルーマンは、ソ連の政治的影響を封じ込めるため、ギリシアとトルコに反共産・反ソ連の援助を行なうという声明を出しました。

マーシャル・プラン

◉**ヨーロッパ経済復興援助計画**。大戦の激戦地となった東欧を自由な市場経済圏にという期待がありましたが、ソ連の圧力でマーシャル・プランは東欧には及ばず、西欧に限られるものとなりました。

ベルリン封鎖

◉戦後ドイツは米英仏ソ4国連合軍に占領されました。目的は民主改革。ところがソ連占領下の東ドイツでは、勝手に社会主義改革が進められたのです。社会は超インフレ状態。その収拾のために通貨改革をやるべきでした。米英仏は、ソ連に改革を迫りましたが、拒否されます。こうした事情が、**西ベルリンの封鎖**＝**東西ドイツの分断**を生みだすことになったのです。

50 東西冷戦は東アジアで火を噴いた――朝鮮戦争と国際政治

ドイツの東西分断が確定した１９４９年、冷戦は世界化しました。人口世界一の中国にも共産独裁政権が出現したのです。小躍りしたのはソ連のスターリン。東アジア全体を握るのもの夢じゃない……そう思ったことでしょう。そんな自己顕示欲が、朝鮮戦争（１９５０〜５３年）につながりました。その後米ソ関係に雪どけが訪れますが、１９６２年、キューバ危機が起こると世界は核戦争の危機を見ることになりました。

日本の主権回復は１９５１年、サンフランシスコ講和会議で確定したが、インドはこの会議を欠席した。その理由について具体的に説明しなさい。

◎１９４９年10月、中国が北京（ペキン）と台湾に分裂すると、アメリカは北京の共産中国に敵対しました。同じときベトナムは、フランスからの独立を手にするため、インドシナ戦争（1946～54年）を戦っていました。冷戦は東アジアで強まりました。

◉朝鮮戦争　ヒントとポイント

冷戦は東アジアで軍事衝突に転化した

◎これにかぶるように1950年6月、**朝鮮戦争**が起こります。北朝鮮（朝鮮民主主義人民共和国）の指導者・金日成（キムイルソン）は、中ソ両国から開戦許可と支援を取り付けて、武力で朝鮮半島を統一しようとしました。戦争がはじまると、国連軍（実態は米軍）と中国軍がそれぞれ韓国と北朝鮮を支援。戦いは「米中戦争」さながらの様相になっていきます。

◎この間、**サンフランシスコ講和会議**が開かれ、敗戦国日本の主権が回復されました。ですが、インド・ビルマ（現ミャンマー）・ユーゴスラヴィアは、この会議を欠席。日本の主権回復が**日米安保条約の締結とセットになっていた**ためです。これらの国々は、軍事同盟に反対する**非同盟・中立外交**をとっていました。

◎一方、スターリン批判が出た1956年、米ソ・日ソ関係は好転。鳩山一郎とブルガーニンの**日ソ共同宣言**が発表され、ソ連は日本の国連加盟を支持しました。

◎しかしキューバ内のソ連ミサイル基地の撤去をめぐって、**キューバ危機**が起こると、一時は険悪に。基地が撤去されると、米ソ共存路線はよりを戻し、1963年、**部分的核実験禁止条約**が結ばれます。1960年代は米ソ間の緊張が和らぐときとなりました。

Keyword **日米安全保障条約、非同盟・中立外交、日米軍事同盟**

日本の主権回復が、日米安全保障条約の締結と抱き合わせになっていること。このため非同盟・中立外交を進めるインドにとって、日米軍事同盟を支持することはできなかった。（80字）

知っておきたいWord

雪どけ
◉1954年にソ連の作家エレンブルクが著した小説の題名。スターリン死後の冷戦緩和の代名詞として世界に広がりました。

インドシナ戦争
◉**ホー・チ・ミン**を指導者とするベトナム民主共和国とフランスの戦争。ジュネーヴ休戦協定で、ベトナムは北緯17度線で南北に分かれます。その後、南北統一問題から**ベトナム戦争**（1960〜75年）が起こります。

日ソ共同宣言
◉日ソ国交回復は実現しましたが、**北方領土**交渉は難航。ソ連は平和条約締結後に歯舞（はぼまい）・色丹（しこたん）の二島は「引き渡す」と約束しています。

部分的核実験禁止条約
◉大気圏内・宇宙空間・水中での核実験は禁止。地下実験はその対象外とされ、米・英・ソ3国の合意となりました。フランスと翌年、核実験を控えていた中国が反対しました。

51 政治は一党独裁、経済は資本主義の中華人民共和国が誕生

中国では**国共内戦**が終わった1949年、中華人民共和国が誕生しました。指導者の**毛沢東**（もうたくとう）は1958年、後先も見ずに社会主義建設という、ずさんな設計図をつくって国民に甚大な被害をもたらします。その後の文化大革命でも、多数の人々を死に追いやりました。国家建設が本格化したのは、毛沢東の没後。中国は資本主義経済の力をもって、経済成長の道すじを立てることに成功しました。

1980年代初め、中国は「四つの現代化」に着手した。この内容について説明するとともに、現在の経済体制についても言及しなさい。

◎朝鮮戦争が終わると、指導者・毛沢東は「**大躍進**」をスローガンに社会主義化＝人

民公社の建設を進めます。1公社は2500世帯からなる自治体で、公社ごとに生産・行政・教育・防衛を自主運営するというシステムをつくりましたが、お粗末な企画のため大失敗。

◎毛沢東は失脚。翌1959年、新たに劉少奇と**鄧小平**が国家再建に乗り出します。ところが権力欲の塊となった毛沢東は、劉・鄧体制をつぶす計画を企みます。これが**文化大革命**（1966〜76年）のきっかけであり、その本質でした。

◎1966年夏、毛沢東は突如、武漢の長江で水泳をはじめます。その姿がメディアで報じられると、革命神話でしか知らない若者たちは胸キュンとなり、1000万人ともいわれる「**紅衛兵**」部隊（毛沢東崇拝の一大暴力集団）が誕生します。

◎この仕掛人こそ、毛沢東の妻・江青ら「**四人組**」でした。彼らは、劉少奇と鄧小平は資本主義化を画策していると叫んで、精神文化の革命を大義に権力を掌握。紅衛兵によるつるし上げ攻撃で命を落とした人は数知れず。劉少奇も衰弱死に追い込まれました。狂気の時代が終わるのは1976年、毛沢東の死によってでした。

◎1980年代に入ると、劉少奇と鄧小平がめざした「**四つの現代化**」がはじまります。農業・工業・国防・科学技術の4部門で現代化（近代化）を達成しようというものです。こうして資本主義経済の導入によって、いまの中国の礎が固められたのです。

A

Keyword **農業・工業・国防・科学技術、社会主義市場経済**

農業・工業・国防・科学技術の4部門で現代化を図ること。その際に資本主義が導入されるが、それは社会主義の発展のためであって、経済体制は社会主義市場経済とよばれる。（80字）

知っておきたいWord

四つの近代化

◉中国では四つの「現代化」といいます。実際は近代化です。共産党は社会主義建設を大義とします。近代化は資本主義化を意味する用語。このため、近代化という言い方はタブー視されています。

社会主義市場経済

◉社会主義と市場経済（資本主義経済）は、背反の体制といわれます。ですが、社会主義（共産党一党独裁）による国民生活の向上のためには資本主義を取り入れつつ、呼称としてはそれを市場経済とよんだのです。

黒い猫でも白い猫でも鼠を捕る猫は良い猫

◉どんな体制――資本主義・社会主義でも経済発展に貢献するものは、良いという意味のたとえ。鄧小平の言葉です。国民の勤労意欲を高めるには、ノルマ以上の生産物は、個人の所有・処分を認めるべきだと説きました。

鄧小平の理想

◉日本の製鉄、新幹線、自動車産業は、現代化のモデルとされました。

52

憎しみと衝突の出口が見えない パレスチナ問題

ヨーロッパが冷戦で揺れた１９４８年、パレスチナでアラブ人とユダヤ人のふたつのナショナリズムが爆発しました。第１次中東戦争（１９４８〜４９年）です。以後、4度の戦争と小競り合いがくり返されてきました。争点はパレスチナの領有権＝国土の獲得といっていいでしょう。世界は、パレスチナ問題を解決するために精力的に動いてきましたが、21世紀のいまも解決の糸口は見つかっていません（P.238参照）。

パレスチナ問題で敵対してきたエジプトとイスラエルは、1979年、平和条約を締結した。これに至る経緯について、具体的に説明しなさい。

◎19世紀末、ユダヤ人迫害が強まると、パレスチナにユダヤ人国家を建てようという

◉パレスチナ問題　ヒントとポイント

パレスチナ分割問題と中東戦争

運動（**シオニズム**）が高まります。そう言われても、パレスチナは7世紀以来イスラーム圏。アラブ人たちはこれを警戒しました。ところが1930年代、この地に移り住むユダヤ人が俄然、増えたのです。プッシュ要因はナチ党の台頭でした。

◎第二次世界大戦が終わると、パレスチナの領有権問題は国連あずかりとなりました。その結果、パレスチナ全人口の3割ほどにすぎないユダヤ人が、面積の56・5パーセントを手にするという不公平な配分がなされました。

◎国連のお墨付きをもらったユダヤ人たちは、喜び勇んでパレスチナの地にイスラエルを建国すると、これにアラブ諸国が猛反発。戦後4回におよぶ**中東戦争**（1948・56・67・73年）の原因は、こうした歴史の流れによるものでした。

◎ところが1977年、反イスラエルの急先鋒だったエジプトの**サダト**大統領が、平和的な関係づくりの必要性を訴えてイスラエルを訪問。翌年、米国大統領カーターの仲介で**キャンプ・デーヴィッド会談**が開かれ、サダトとイスラエル首相**ベギン**が和解します。１９７９年、エジプト・イスラエル平和条約でイスラエルは承認されました。

◎１９９４年、ノルウェーの仲介で、イスラエル国内にアラブ人側の行政区が認められ、**パレスチナ暫定自治政府**が成立しました。が、暗澹（あんたん）たる状況が続いています。

Keyword **キャンプ・デーヴィッド会談、サダト、ベギン**

米国大統領カーターの仲介でキャンプ・デーヴィッド会談が開かれると、サダトとベギンの両代表は和平に合意。エジプトはイスラエルを承認し、シナイ半島の返還を実現した。（80字）

知っておきたいWord

ドレフュス事件
◉1894年、ユダヤ人差別を背景にフランスで起きた冤罪(えんざい)事件です。ドレフュスはユダヤ人。ドイツのスパイにされました。これを自然主義文学者として名高いゾラが批判。シオニズムが叫ばれるきっかけとなりました。

ニュルンベルク法
◉1935年、ナチス・ドイツで定められたユダヤ人を排斥する人種差別法。ドイツ人とユダヤ人の結婚禁止、ユダヤ人の公共施設の使用禁止など。

クリスタル・ナハト
◉「**水晶の夜**」ともいわれます。1938年11月、ドイツやオーストリアのユダヤ人居住区や商店が襲撃されました。

オスロ合意
◉1993年、当時のイスラエル首相ラビンは、親交のあったノルウェーの仲介で、**パレスチナ解放機構**（**PLO**）の**アラファト**とオスロで秘密交渉を持ち、相互の承認に合意しました。

53 独仏の和解からはじまったヨーロッパ統合への道のり

パレスチナ問題の平和的解決に期待が高まった1993年、**EU（ヨーロッパ連合）**が発足しました。近年は圏外からの移民受け入れの対応やイギリスの脱退問題で、ヨーロッパ統合は先行き不透明のようです。そもそもEUの原点となったのは、ヨーロッパの平和を築くという強い意志で、その担保となったのが、独仏関係の和解でした。そこから**EC（ヨーロッパ共同体）**へ発展し、いまのEUにつながったのです。

1993年に発足したEU（ヨーロッパ連合）条約の内容について、通貨や対外政策などをあげて、具体的に説明しなさい。

◎ヨーロッパはひとつ！　――1924年に刊行された雑誌『パン・ヨーロッパ』の

◉EU ヒントとポイント

独仏関係の和解がEU発足の足がかりに

主張です。その中心となった人物が、オーストリアのグーデンホーフ・エイジロウ・カレルギー。「EUの父」のひとりとして、その名は歴史に刻まれています。彼の母は、グーテンホーフ伯爵(はくしゃく)と結婚した日本人・青山光子といいます。

◎ヴェルサイユ体制はフランスのドイツに対する報復色が濃厚でした（P.248参照）。第二次世界大戦では、今度はドイツがフランスを占領支配。アルザスとロレーヌも奪い取ります。まさに、やられたら、やり返すの関係でした。

◎ドイツとフランスは、ヨーロッパのトラブルメーカーであってはならない。そうした精神から生まれたのが、**ECSC（ヨーロッパ石炭鉄鋼共同体**・１９５２年）でした。西ドイツのルールとザール両地方の石炭・鉄鉱石の資源と工業施設を西独・仏・伊・ベルギー・オランダ・ルクセンブルクの６カ国で管理、運営しようという意図で作られました。

◎これが成功すると、**EURATOM（欧州原子力共同体**）と**EEC（欧州経済共同**

体）がつくられ、統合の流れができあがりました。１９６７年、三つがひとつにまとまり、ＥＣに。１９７０年代以降、イギリスやデンマークなど加盟国は12カ国へ。

◎１９９３年、**マーストリヒト条約**によって**ＥＵ**が発足。政策としては単一通貨を発行し、加盟国は共通の外交・安全保障政策を持つ。各国は一部の権限をＥＵに移し、**ヨーロッパ議会**の権限を強める――こうして**欧州統合**への道が示されました。

Keyword **単一通貨、共通の外交と安全保障、ヨーロッパ議会**

単一通貨を発行して市場の統合を図り、共通の外交と安全保障政策を持つ。そして加盟各国は、権限の一部をＥＵに移譲して、ヨーロッパ議会の立法権を強めるようにすること。（80字）

知っておきたいWord

シューマン・プラン
◉１９５０年、フランス外相シューマンは、独仏関係の改善と和解のためにライン川域の石炭と鉄鋼生産の共同経営を唱えました。これがＥＣＳＣを生みだすことになります。

ＥＥＣ
◉１９５８年に発足した欧州経済共同体です。農産物・工業製品の輸出、資本・労働力の移動などが加盟国間では自由とされ、関税も十数年で撤廃するとされました。加盟国をひとつの経済市場とするものです。

フランク王国の復活
◉ＥＣの原加盟は6カ国。ＥＣはフランク王国が分裂してできた国々が合流して出来上がった格好になっています（P.114参照）。

マーストリヒト条約
◉１９９２年、オランダのマーストリヒトで、ＥＣ加盟12カ国によって調印されたＥＵ（ヨーロッパ連合）発足の条約です。発効は１９９３年。

【参考文献】

『アジア史概説』宮崎市定著／中央公論新社
『イスラームとは何か　その宗教・社会・文化』小杉泰著／講談社
『銀の世界史』祝田秀全著／筑摩書房
『シュメル――人類最古の文明』小林登志子著／中央公論新社
『生活の世界歴史3　ポリスの市民生活』太田秀通著／河出書房新社
『生活の世界歴史4　素顔のローマ人』弓削達著／河出書房新社
『生活の世界歴史10　産業革命と民衆』角山栄ほか著／河出書房新社
『世界の歴史25　アジアと欧米世界』加藤祐三ほか著／中央公論新社
『早慶上智の「なぜ」を見抜く世界史』祝田秀全著／大和書房
『第二次世界大戦』全4巻　W・S・チャーチル著／佐藤亮一訳／河出書房新社
『中国の論理　歴史から解き明かす』岡本隆司著／中央公論新社
『2時間でおさらいできる世界史』祝田秀全著／大和書房
『2時間でおさらいできる世界史　近・現代史篇』祝田秀全著／大和書房

【参考文献】（図版）

『エリア別だから流れがつながる　世界史』祝田秀全監修／朝日新聞出版
『面白くてよくわかる!　世界史』祝田秀全監修／アスペクト
『最新世界史図説　タペストリー　十三訂版』川北稔ほか監修／帝国書院
『世界史図録ヒストリカ』谷澤伸ほか著／山川出版社

本作品は、当文庫のための書き下ろしです。

祝田秀全（いわた・しゅうぜん）
東京生まれ。東京外国語大学アジア・アフリカ言語文化研究所研究員を経て、予備校と大学講師を兼任し、現在、北九州予備校東京校で東大世界史講師を務める。
著書に『2時間でおさらいできる世界史』『2時間でおさらいできる世界史 近・現代史篇』『早慶上智の「なぜ」を見抜く世界史』（以上、大和書房）、『東大生が身につけている教養としての世界史』（河出書房新社）、『銀の世界史』（筑摩書房）、『近代建築で読み解く日本』（祥伝社）など多数。
趣味は東京1960年代ヴォーグ研究。古典落語鑑賞。当面の夢は、カリブ海のジャマイカに行き、標高1000メートル前後の畑で採れる豆をほどよく煎って、コーヒー三昧に溺れたい。ライカ小僧でもある。

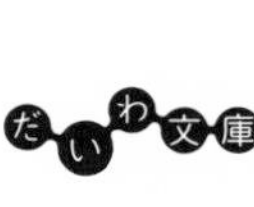

80字世界史

著者　祝田秀全

二〇二〇年一〇月一五日第一刷発行

発行者　佐藤 靖
発行所　大和書房
東京都文京区関口一－三三－四 〒一一二－〇〇一四
電話 〇三－三二〇三－四五一一

フォーマットデザイン　鈴木成一デザイン室
本文デザイン　福田和雄(FUKUDA DESIGN)
編集協力　辻口雅彦(草樹社)
図版作成　杉浦才樹
本文DTP　朝日メディアインターナショナル
本文印刷　シナノ　カバー印刷　山一印刷
製本　小泉製本

ISBN978-4-479-30836-2
乱丁本・落丁本はお取り替えいたします。
http://www.daiwashobo.co.jp